Texte, photographies, mise en page/design et reproduction, entièrement conçues et réalisées par les équipes techniques de EDITORIAL ESCUDO DE ORO, S.A.

Palaudàries, 26 - 08004 Barcelone (Espagne).

e-mail:editorial@eoro.com
http://www.eoro.com

Editorial Escudo de Oro, S.A.

INTRODUCTION

Barcelone se trouve sur une frange de terre baignée par la Méditerranée, entre les deltas du Llobregat et du Besòs. Elle est entourée par la Sierra de Collserola dont le sommet le plus élevé est le Tibidabo (512 m). La montagne de Montjuïc se dresse sur la mer et est l'autre montagne qui préside la Ciutat Comtal (ville comtale). Le noyau urbain est formé par la vieille ville, l'"Eixample" (fruit de l'expansion du XIXe siècle) et la zone périphérique qui poussa ensuite autour de ces deux premiers quartiers.
Le climat de Barcelone est méditerranéen et les étés sont donc chauds et les hivers doux. La température moyenne annuelle est de 16 degrés °C.
Cette ville catalane est une grand centre d'une grande puissance économique favorisée par sa situation géographique stratégique. Si nous y ajoutons le caractère battant de ses habitants, le résultat est une ville définie, surtout, par son dynamisme. Son expansion continue est une preuve parfaite de son désir d'amélioration et de projection qui bat dans son sein. Ville cosmopolite par excellence, Barcelone accueille les visiteurs avec une hospitalité et une cordialité sincère. La ville est, elle-même, point de départ et d'arrivée de courants culturels et artistiques divers et source inépuisable de création. Jalouse de sa culture et de ses traditions, elle est orgueilleuse de son identité et des caractères qui lui sont propres (idiome, culture, folklore) et les exporte hors de ses frontières. Depuis la célébration des Jeux Olympiques de 1992 (considérés "les meilleurs Jeux Olympiques de l'ère moderne"), Barcelone a su matérialiser dans la ville son esprit dynamique et rénovateur, dans une formule qui la pousse définitivement vers le futur.

COMMENT UTILISER LE GUIDE

Nous vous proposons quelques recommandations afin de pouvoir profiter au maximum de ce guide.

Nos parcours sont classés en trois catégories: (***), (**) et (*) qui dépendront aussi bien de la valeur historique qu'artistique des monuments cités ainsi que de la couleur populaire et le pittoresque des zones visitées. Par ailleurs, les édifices sont classés individuellement dans chaque itinéraire suivant leur importance: (***) visite indispensable. (**) intéressant, (*) attrayant.

Le symbole de catégorie sera suivi par une lettre qui nous indiquera si la visite est recommandée (M) le matin, (AM) l'après-midi, (M et AM) toute la journée. Mais n'oublions pas aussi de nous renseigner sur les distances à parcourir car quelques itinéraires (3, 4, 7 et 8) sont particulièrement longs.

Si votre séjour doit être bref, vous pourrez choisir, avec ces indications, les endroits à visiter.

Buste en marbre de l'impératrice Agrippine (Ier siècle). Musée d'Histoire de la Ville.

Sculpture de Diane. Musée d'Histoire de la Ville.

RESUME HISTORIQUE

L'histoire de Barcelone commence, voici déjà 4 000 ans, sur les flancs de la montagne de Montjuïc ou s'installèrent les tribus "laietanes", ibères primitifs qui pratiquaient l'agriculture, l'élevage et, fondamentalement, le commerce avec les grecs, les puniques et les romains grâce à leur situation géographique privilégiée.

C'est cependant la présence de Rome qui marqua profondément l'histoire de la ville. Après les luttes contre les cantabres et les asturs -dernière étape de la conquête-, les romains de l'époque de l'empereur Auguste entreprirent une rénovation administrative et des voies de communication qui entraîna la création de plusieurs villes. C'est ainsi que naquit, vers l'an 15 av. J.-C., la colonie Iulia Augusta Paterna Faventia Barcino. La petite ville se dressa sur un monticule connu sous le nom de "Mons Taber", dans la zone aujourd'hui occupée par le Barri Gòtic (quartier gothique). Vers le IVe siècle, la ville naissante fut renforcée par une solide muraille qui proportionna à la ville une situation stratégique privilégiée tout en créant un ceinturon de défense contre les incursions barbares. La décadence de l'Empire romain facilita l'arrivée de peuples germaniques à Barcino. En 415 ap. J.-C., le roi wisigoth Athaulf la choisit pour capitale de son royaume mais cette importance initiale s'estompa lorsque la capitale du royaume wisigoth se déplaça tout d'abord à Tolosa et, un siècle plus tard, à Tolède.

Conquise au VIIIe siècle par les arabes, elle demeura sous leur domination durant presque un siècle jusqu'à sa reconquête par les francs en 810. Le territoire au sud des Pyrénées devint ainsi la marque hispanique, frontière entre l'Islam et l'Europe chrétienne. Barcelone vécut à cette époque de nombreux siècles sous la menace d'un grand affrontement entre les maures et les chrétiens. Le personnage le plus relevant de la Barcelone médiévale fut Guifré el Pilós fondateur de la dynastie catalane du comté de Barcelone en l'an 878. La ville fut détruite en l'an 985 par les troupes sarrasines sous les ordres du musulman Al-Mansur. Après la bataille, Borrell II, petit-fils de Guifré, dépourvu d'alliés devant l'attaque ennemie, se détacha du pouvoir carolingien et le comté de Barcelone devint la capitale d'un nouvel état indépendant. La ville connut alors une époque de splendeur et confirma sa suprématie sur les autres comtés catalans. Il s'étendit vers la mer, au-delà des murailles romaines et, surtout, autour de l'église de Santa María del Mar, une des premières églises chrétiennes de la Ciutat Comtal.

Peinture murale de la basilique paléochrétienne (VIème siècle). Musée d'Histoire de la Ville.

Après l'union entre la Catalogne et l'Aragon, au XIIIe siècle, le roi Jacques I fonda les premières institutions représentatives de la commune de Barcelone: le "Consell de Cent" (cent notables élus par le peuple) et les "Corts" (assemblées représentatives). Durant son règne, Jacques I mena parallèlement son expansion maritime et conquit Majorque et Valence. Pierre III "le Grand", son successeur annexa les îles de Sicile et de Sardaigne. Un tel déploiement entraîna une augmentation

Mosaïque d'une tombe chrétienne (Vème siècle). Musée d'Histoire de la Ville.

Peinture murale sur l'expédition guerrière de Pierre le Grand (XIIIème siècle). Musée d'Histoire de la Ville.

du commerce et de la richesse de la ville. Barcelone devint l'une des puissances les plus importantes de la Méditerranée. Ceci facilita la construction des Drassanes (chantiers navals), le plus grand ensemble de construction navale médiéval conservé aujourd'hui dans le monde entier. Et si, à la fin du XVe siècle, la présence des Rois Catholiques au pouvoir signifia pour la ville la perte de son rôle de capitale, après la Guerre de Succession au trône espagnol (1710-14), Barcelone donna son soutien politique à l'archiduc Charles d'Autriche face à l'autre candidat (qui fut plus tard roi d'Espagne), Philippe V de Bourbon. Le dernier épisode de cette longue guerre fut le siège de Barcelone qu'imposa, durant treize mois, l'armée franco-espagnole. Le 11 septembre 1714, les troupes bourboniennes occupèrent la ville. Après cette défaite, Philippe V supprima les organismes et les institutions propres à la Catalogne et interdit l'usage de la langue catalane. Il fit, par ailleurs, construire la fortification de la Ciutadella afin d'assurer le contrôle de la population. Entre 1808 et 1813, Barcelone fut occupée par l'armée française, ce qui provoqua une paralysie de son processus d'expansion économique et social. Malgré tout cela, le développement démographique du XIXe siècle obligea, en 1859, à démolir les murailles qui bloquaient l'essor de la ville. Le Plan Cerdà, un des premiers projets européens de planification urbaine rationnelle, régula l'"Eixample" barcelonais hors des murailles historiques. Des rues

Page miniaturisée des " Commentaires des Usages " (Jaume Marquilles, XVème siècle). Musée d'Histoire de la Ville.

furent tracées au cordeau, du centre de la ville vers la montagne, avec des pâtés de maisons qui formaient, sur le plan, des carrés uniformes.
Ce fut en 1888, à l'occasion de l'Exposition Universelle, que Barcelone fut soumise à un changement plus radical. On choisit, pour cette occasion, le Parc de la Ciutadella et on y construisit des édifices aussi importants que le Palais de l'Industrie ou celui des Beaux Arts. Son porche d'entrée était l'Arc de Triomphe construit pour l'occasion. L'exposition était une démonstration de la volonté de la ville de rompre ses propres frontières et d'atteindre un niveau international, résultat de son développement économique, de sa vitalité sociale et, aussi, de son dynamisme politique.
Le début du XXe siècle fut marqué par de fortes convulsions sociales. La dualité entre la ville ouvrière et la bourgeoisie provoqua de nombreuses inégalités sociales qui entraînèrent de nombreuses représailles et attentats. Après la crise du système de la Restauration, durant la dictature du général Primo de Rivera, eut lieu, en 1929, une autre exposition internationale qui rénova la projection de la ville et lui donna de nouveaux traits modernes. La construction du métro, le remaniement de la montagne de Montjuïc ainsi que la création de la fameuse fontaine lumineuse, datent de cette époque-là.
Siège du gouvernement autonome depuis 1931, Barcelone demeura entre les mains de la République lors du soulèvement national, durant la Guerre civile espagnole. Durant l'étape franquiste, l'immigration des campagnes vers la grande ville contribua à une nouvelle réalité sociale à l'abri du développement économique des années 60. A partir de 1975, le retour de la monarchie, de la démocratie et de l'autonomie catalane ont renforcé la vitalité de la Barcelone moderne. Dans la foulée, la ville se fixa un nouvel objectif: la célébration des Jeux Olympiques de 1992. Avec le rendez-vous olympique pour toile de fond. Barcelone entreprit la plus grande transformation urbaine de son histoire, faisant disparaître les barrières physiques qui l'empêchaient de vivre face à la mer, construisant de nouvelles infrastructures et devenant plus compétitive. La ville se présente aujourd'hui comme une métropole cosmopolite, moderne et dynamique, capable de relever les défis que lui réserve l'avenir.

Palais Sant Jordi.

GRAN VIA DE CARLES III
TRAVESSERA DE LES CORTS
PLAÇA FRANCESC MACIÀ
JOAN GÜELL
MARQUÈS DE SENTMENAT
AVINGUDA DE SARRIÀ
AVINGUDA DE MADRID
PLAÇA DEL CENTRE
Pl. del Centre
JOSEP TARRADELLAS
VILLARROEL
BERLIN
PARIS
VALLESPIR
BELL-LLOC
GUITARD
NUMÀNCIA
NICARAGUA
UNIVERSITAT INDUSTRIAL
CÒRSEGA
Entença
ROSSELLÓ
Hospital Clínic
HOSPITAL CLÍNIC
PLAÇA JOAN PEIRÓ
ESTACIÓ BARCELONA SANTS
PLAÇA PAÏSOS CATALANS
ENTENÇA
COMTE BORRELL
COMTE D'URGELL
PROVENÇA
Sants-Estació
PARC DE L'ESPANYA INDUSTRIAL
MALLORCA
SANS
AVDA. ROMA
Tarragona
LLANÇÀ
VALÈNCIA
ROCAFORT
TARRAGONA
PARC JOAN MIRÓ
CONSELL DE CENT
MOYANES
CREU COBERTA
SANT ROC
CARRETERA LA BORDETA
VILAMARÍ
DIPUTACIÓ
CALÀBRIA
CASANOVA
PLAÇA DE BRAUS LES ARENES
PLAÇA ESPANYA
Espanya
GRAN VIA DE LES CORTS CATALANES
Urgell
Rocafort
SEPÚLVEDA
VILADOMAT
AVDA. R. Ma. CRISTINA
FIRA DE BARCELONA
PLAÇA UNIVERS
AVDA. MISTRAL
FLORIDABLANCA
AVDA. M. DE COMILLAS
POBLE ESPANYOL
AVDA. RIUS I TAULET
RONDA SANT PAU
TAMARIT
MERCAT DE ST. ANTONI
PLAÇA CARLES BUÏGAS
LLEIDA
Poble Sec
AVINGUDA DEL PARAL.LEL
MANSO
St. Antoni
JARDÍ BOTÀNIC
PLAÇA DE LES CASCADES
PARLAMENT
AVDA. DE L'ESTADI
PALAU NACIONAL
MUSEU NACIONAL D'ART DE CATALUNYA
PISCINES BERNAT PICORNELL
M. DEL CAMPO
RADAS
MUSEU ARQUEOLÒGIC
MUSEU ETNOLÒGIC
PASSEIG DE L'EXPOSICIÓ
PALAU ALBÈNIZ
TEATRE GREC
PLAÇA BLASCO DE GARAY
PALAU SANT JORDI
FUNDACIÓ MIRÓ
Paral.lel
ESTADI OLÍMPIC
PG. OLÍMPIC
NOU DE LA RAMBLA
VILA I VILA
JARDINS MOSSÈN JACINT VERDAGUER
TELEFÈRIC
PALAUDARIES
PG. DE J
CASTELL DE MONTJUÏC
JARDINS MOSSÈN COSTA I LLOBERA

TRAVESSERA DE GRÀCIA
PI I MARGALL
ESCORIAL
Joanic
SANT ANTONI MARIA CLARET
INDÚSTRIA
MARINA
LEPANT
SARDENYA
AVINGUDA DIAGONAL
VIA AUGUSTA
GRAN DE GRÀCIA
ARIBAU
PÇA. JOAN CARLES I
CÒRSEGA
Diagonal
BALMES
BAILÈN
ROSSELLÓ
CASA DE LES PUNXES
LA PEDRERA
PAU CLARIS
PROVENÇA
Verdaguer
Sagrada Família
AV. DE GAUDÍ
TEMPLE SAGRADA FAMÍLIA
ENRIC GRANADOS
RAMBLA DE CATALUNYA
PASSEIG DE GRÀCIA
MALLORCA
ROGER DE LLÚRIA
PÇA. MOSSÈN JACINT VERDAGUER
PASSEIG DE SANT JOAN
VALÈNCIA
GIRONA
PLAÇA DOCTOR LETAMENDI
CASA BATLLÓ
CASA AMETLLER
Passeig de Gràcia
ARAGÓ
CONSELL DE CENT
Girona
ROGER DE FLOR
SICÍLIA
DIPUTACIÓ
BRUC
Monumental
PLAÇA DE BRAUS MONUMENTAL
UNIVERSITAT
Tetuan
PLAÇA DE TETUAN
GRAN VIA DE LES CORTS CATALANES
PLAÇA DE LA UNIVERSITAT
Universitat
RONDA UNIVERSITAT
NÀPOLS
CASP
PELAI
PLAÇA DE CATALUNYA
ÀUSSIAS MARC
CCCB
MACBA
Catalunya
PLAÇA URQUINAONA
Urquinaona
TRAFALGAR
RONDA SANT PERE
ALÍ BEI
Arc de Triomf
ESTACIÓ DEL NORD
RAMBLES
PORTAL DE L'ÀNGEL
PALAU DE LA MÚSICA
ARC DE TRIOMF
AVDA. VILANOVA
Marina
BIBLIOTECA DE CATALUNYA
PALAU DE LA VIRREINA
MERCAT DE LA BOQUERIA
HOSPITAL
AVDA. CATEDRAL
AVDA. F. CAMBÓ
PASSEIG DE LLUÍS COMPANYS
PALAU DE JUSTÍCIA
ALMOGÀVERS
BUENAVENTURA MUÑOZ
AVDA. MERIDIANA
PALLARS
ESGLÉSIA DEL PI
CATEDRAL
PALAU DE LA GENERALITAT
VIA LAIETANA
PASSEIG DE PUJADES
FONT MONUMENTAL
GRAN TEATRE DEL LICEU
Liceu
PLAÇA REIAL
AJUNTAMENT DE BARCELONA
Jaume I
ARGENTERIA
COMERÇ
PASSEIG DE PICASSO
PARC DE LA CIUTADELLA
FRANCESC D'ARANDA
LLULL
WELLINGTON
RAMON TURRÓ
DE LA RAMBLA
ANTIC MERCAT DEL BORN
PARLAMENT DE CATALUNYA
Drassanes
MUSEU DE CERA
AMPLE
LLOTJA
PLA DE PALAU
AVDA. MARQUÈS DE L'ARGENTERA
ESTACIÓ DE FRANÇA
PASSEIG DE COLOM
RONDA LITORAL
MOLL DE LA FUSTA
Barceloneta
PARC ZOOLÒGIC
AVDA. ICÀRIA
Ciutadella
VILA OLÍMPICA
PALAU DE MAR
PORT VELL
MARINA PORT VELL
MAREMAGNUM
MOLL DE LA BARCELONETA
PASSEIG NACIONAL
HOSPITAL DEL MAR
PORT OLÍMPIC
PASSEIG MARÍTIM
PLATJA DE LA BARCELONETA
PLATJA DE SANT MIQUEL

ITINÉRAIRES

ITINERAIRE 1 (***) (M)

Place de Catalogne - Ramblas - Fontaine de Canaletas - Théâtre Polioroma - Compañía de Tabacos de Filipinas - Eglise de Bethléem - Palais Moja - Rue Portaferrissa - Ancien Hôpital de la Santa Creu - Palais de la Vice-reine - Marché de la Boqueria - Pla de l'Os - Grand Théâtre du Liceu - Palais Güell - Place Royale - Place du Théâtre - Musée de Cire - Centre d'Art Santa Mònica - Monument à Colomb - Port - Musée Maritime - "Drassanes" - Murailles médiévales - Avenue du Paral·lel - Eglise de Sant Pau del Camp.

ITINERAIRE 2 (***) (AM)

Place Urquinaona - Via Laietana - Palais de la Musique Catalane - Els Quatre Gats- Avenue de la Cathédrale - Corps des Architectes de Catalogne - Cathédrale - Barri Gòtic - Place Sant Jaume - Generalitat - Mairie - rue Ferran-Quartier juif - Eglise de Santa Maria del Pi.

ITINERAIRE 3 (***) (M et AM)

Passeig de Colom - Moll de la Fusta - Basilique de la Mercè - Correus - Llotja - Porxos d'En Xifré - Barceloneta - Port Vell - Marina du Port Nou - Moll Nou - Plages - Port Olympique - Ville Olympique - Rue Marina - Gare du Nord-Passeig de Lluís Companys - Arc de Triomphe - Palais de Justice - Parc de la Ciutadella - Parlement - Fontaine de la Cascade - Musée de Géologie - Musée de Zoologie - Musée d'Art moderne - Zoo - Gare de France - Rue Princesa - Rue Montcada - Musée Picasso - Musée du Textile et du Vêtement - Eglise de Santa María del Mar - Passeig del Born et marché del Born.

ITINERAIRE 4 (***) (M et AM)

Place de l'Universitat - Université - Gran Via de les Corts Catalanes - Place de Tetuan - Arènes La Monumental - Sagrada Familia - Avenue de Gaudí - Hôpital de la Santa Creu i de San Pau - Parc et tour de Les Aigües - Parc Güell.

ITINERAIRE 5 (**)(AM)

Place de Mossèn Jacint Verdaguer - Maison des Punxes - Maison Quadras - Place de Joan Carles I - Obélisque- Passeig de Gràcia - Maison Milà, La Pedrera - Maison Lleó Morera - Maison de l'Ametller - Maison de Batlló - Fondation Antoni Tàpies - Rambla de Catalunya - Diputació de Barcelone.

ITINERAIRE 6 (***)(M et AM)

Funiculaire de Montjuïc - Parc d'attractions du Montjuïc- Jardins de Costa i Llobera - Château de Montjuïc - Jardins de Jacinto Verdaguer - Fondation Joan Miró - Stade Olympique - Palais Sant Jordi - Poble Espanyol - Pavillon Mies van der Rohe - Palais National- Musée National d'Art de Catalogne - Musée Ethnologique - Musée Archéologique - Théâtre grec - Fontaines de Montjuïc - Foire exposition - Place d'Espagne - Les Arènes - Parc de l'Escorxador- Parc de l'Espagne Industrielle - Gare de Sants.

ITINERAIRE 7 (*)(M)

Avenue de la Diagonal - Place de Francesc Macià - Avenue de Pau Casals - Immeubles Atalaya, Trade, l'Illa Diagonal - Place de Pius XII - Stade du Fútbol Club Barcelona - Zone Universitaire - Palais de Pedralbes - Pavillons Güell- Monastère de Pedralbes - Parc de Cervantes.

ITINERAIRE 8 (*)(M)

Place de John Kennedy - Avenue du Tibidabo - Tramway Bleu - Musée de la Science - Parc de la Font del Racó - Funiculaire - Observatoire Fabra - Temple du Sacré Coeur - Parc d'attractions du Tibidabo - Musée des Automates- Tour de Collserola- Serra de Collserola.

1. Place Catalogne/Eglise Sant Pau del Camp

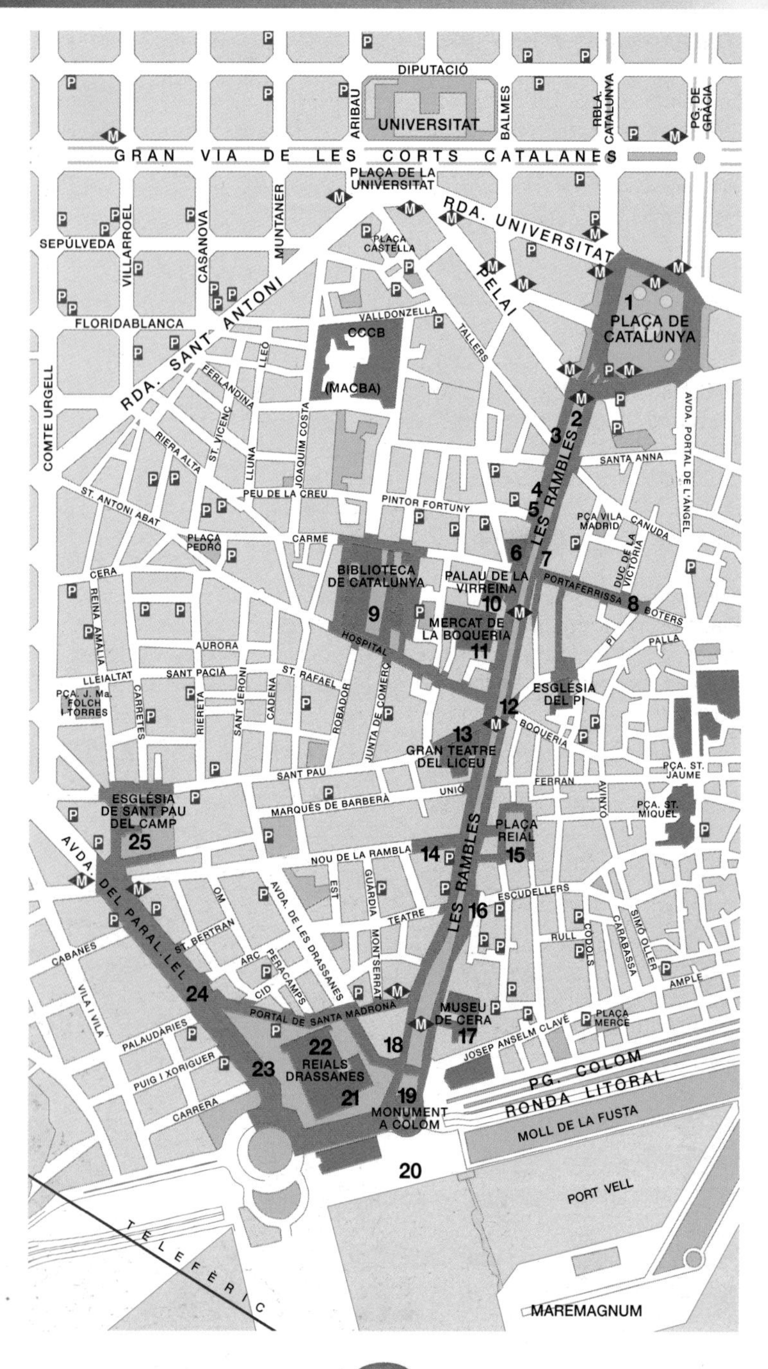

ITINERAIRE 1: (***)(M)

Le premier itinéraire que propose ce guide nous conduira à travers l'une des artères préférées de Barcelone et aussi une des plus célèbres: il s'agit des Ramblas, singulières et colorées. Un trajet qui, depuis le coeur même de la ville, nous conduira à une autre des attractions de la Barcelone actuelle: sa façade maritime de laquelle nous parlerons plus tard.

1.- Place de Catalogne (**). 2.- Ramblas (***). 3.- Fontaine de Canaletas (***). 4.- Théâtre Polioroma (**). 5.- Compañía de Tabacos de Filipinas (*). 6.- Eglise de Betlem (***). 7.- Palais Moja (*). 8.- Rue de Portaferrissa (**). 9.- Ancien Hôpital de la Santa Creu (***). 10.- Musée d'Art Contemporain de Barcelone (MACBA). Centre de Culture Contemporaine de Barcelone (CCCB). Palais de la Vice-reine (***). 11.- Marché de la Boqueria (***). 12.- Pla de l'Os (**). 13.- Grand Théâtre du Liceu (***). 14.- Palais Güell (***). 15.- Place Royale (***). 16.- Place du Théâtre (*). 17.- Musée de Cire (**). 18.- Centre d'Art Santa Mònica (*). 19.- Monument à Colomb (***). 20.- Port (**). 21.- Musée Maritime (**). 22.- Drassanes (***). 23.- Murailles médiévales (**). 24.- Avenue du Paral·lel (**). 25.- Eglise de Sant Pau del Camp (**).

Notre promenade commence à la **Place de Catalogne (1)**, axe principal de la ville et de toutes ses communications. Entourée d'édifices singuliers qui accueillent actuellement des organismes financiers ou de grands magasins (comme le Corte Inglés ou le centre commercial " El Triangle "), cette place centrale est ornée de grands bassins. Dans un coin nous remarquerons le monument à Francesc Macià, ancien président de la

Vue aérienne de la Place de Catalogne.

1. Place Catalogne/Eglise de Sant Pau del Camp

Place de Catalogne.

Monument à Francesc Macià, œuvre de Josep M. Subirachs.

Generalitat de Catalunya, récemment inauguré.

A l'origine, les **Ramblas (2)** n'était qu'un torrent qui coulait à l'extérieur des murailles de la ville construites au XIIIe siècle. Il s'agit d'un chemin parallèle à ces murailles sur lequel s'ouvraient plusieurs portes, telles celles de Santa Anna, Portaferrissa, la Boqueria ou les Drassanes. Au cours du temps, les murs qui entouraient la ville furent insuffisants pour remplir leur fonction d'origine et ils furent donc démolis alors que les zones extérieures étaient urbanisées, "rambla" inclue, et finalement intégrées dans l'ensemble de la ville. Sur ses rives on construisit des maisons, des hôpitaux et des écoles et elle se transforma en la grande promenade que nous connaissons au XVIIIe siècle, avec la plantation de grands arbres et l'installation de bancs pour les passants. Elle prend plusieurs noms tout au long. Près de la Plaça de Catalunya, c'est la **Rambla de Canaletes**, ensuite vient la **Rambla dels Estudis**, la **Rambla de les Flors**, **Rambla dels Caputxins** et enfin la **Rambla de Santa Mònica**. Sur l'allée centrale, les kiosques de fleurs succèdent à ceux d'animaux, de presse, aux terrasses et, plus bas, aux stands de vendeurs ambulants, de tireuses de cartes du tarot et aux nombreux artistes qui improvisent leur spectacle au milieu d'un cercle de badauds. Mais si cette allée est riche en témoignages humains elle est aussi riche en empreintes historiques et artistiques.

Le premier arrêt de notre itinéraire se produira devant la **Fontaine de Canaletas (3)**, un des signes d'identification de la rambla barcelonaise. Cette fontaine de fer fut installée au XIXe siècle et a été le témoin exceptionnel

Église romaine de Santa Anna, située près de la Place de Catalogne.

Fontaine de Canaletas.

de tous les événements historiques de la Ciutat Comtal. Elle a 4 becs et est couronnée par un réverbère à 4 lampes. Une légende nous dit que "ceux qui boivent de l'eau de la fontaine de Canaletas reviendront inévitablement à Barcelone".

A quelques pas, nous trouverons, à droite, la **Reial Acadèmia de Ciències i Arts**, actuellement **Théâtre Poliorama (4)**, qui occupe quelques-unes de ses salles depuis 1929. Cette académie naquit au XVIIIe siècle, après la disparition de l'Estudio General, collège de jésuites des nobles de Cordelles, qui donna son nom à la Rambla dels Estudis. L'institution fut chargée d'assurer les cours lorsque Barcelone se retrouva sans Université.

Un peu plus bas, sur le même trot-

Kiosques à journaux et de fleurs des Ramblas.

TIME
BLUME NATURA

Les Ramblas.

" Sculpture vivante " sur les Ramblas.

Les Ramblas: oisellerie.

toir, nous connaîtrons l'ancien édifice de la **Compañía de Tabacos de Filipinas (5)** qui nous donnera un aperçu de ce qu'étaient les constructions bourgeoises du siècle XIX (c'est un projet de 1880).
Tout à côté de cet immeuble se dresse **l'église de Bethléem (6)** (ancien couvent de jésuites et l'un des quelques exemplaires baroques de la ville) dont la construction commença en 1681 bien qu'elle ne fut achevée qu'en 1732. Son entrée est couronnée par un relief de la Nativité et, sur la façade principale, qui donne sur la rue du Carmen, se trouvent les statues de saint Ignace de Loyola et de saint François Borgia (la statue donnant sur les Ramblas est celle de saint Jean Baptiste). A l'intérieur, une seule nef avec de nombreuses chapelles latérales. On sait que la décoration intérieure, achevée en 1855, était très somptueuse mais elle fut détruite par un incendie en 1936. Pour Noël, nous aurons l'occasion d'y admirer une magnifique exposition de crèches.
De l'autre côté de la Rambla se trouve le **Palais Moja (7)**, à l'angle de la **rue Portaferrissa (8)**, importante rue

Église de Bethléem

Palais Moja.

Peinture murale et fontaine de la rue Portaferrissa.

Patio de l'ancien Hôpital de la Santa Creu.

commerciale. Le poète Verdaguer l'habita durant un certain temps, sous la protection des marquis de Comillas qui avaient acheté la maison à la famille Moja.

Nous devrons quitter un petit moment les Ramblas afin d'arriver à notre prochain arrêt et pénétrer dans la rue du Carmen (ou dans celle de l'Hospital, située un peu plus bas) où nous trouverons l'ensemble de l'**Ancien Hôpital de la Santa Creu (9)**, du XVe siècle mais qui ne fut achevé qu'au XVIIIe. Il fut créé afin de regrouper les divers hôpitaux de Barcelone et fut centre hospitalier jusqu'en 1926, jusqu'à l'ouverture des centres de la Santa Creu i de Sant Pau à l'Eixample barcelonais. Il accueille actuellement la **Biblioteca de Catalunya et l'Institut d'Estudis Catalans** ainsi que d'autres organismes culturels. L'enceinte conserve de grandes salles gothiques et baroques avec d'importantes oeuvres en céramique (c'est le cas de **la Casa de la Convalescència** avec son singulier patio à porches) et des traces néoclassiques tel le **Col·legi de Cirurgia** (qui date de 1761, oeuvre de Ventura Rodríguez Tizón) dans lequel se trouve aujourd'hui **l'Acadèmia de Medicina.**

Un peu plus loin, sur la Place dels Àngels se trouve le **Musée d'Art Contemporain de Barcelone (MACBA)**, bâtiment original conçu par Richard Meier et qui ouvrit ses portes en 1995, ainsi que le **Couvent dels Àngels**, une construction gothique qui est le siège de l'institution culturelle FAD depuis 1999 ; et tout proche de là, se trouve le **Centre de Culture Contemporaine de Barcelone (CCCB)**, situé

Musée d'Art Contemporain de Barcelone (MACBA).

Patio Manning, Centre de Culture Contemporaine de Barcelone (CCCB).

Palais de la Vice-reine.

dans l'ancienne Casa de la Caritat (du XVIIIème siècle), qui fonctionne depuis 1994 en tant que salle d'expositions temporaires.

En reprenant notre promenade sur les Ramblas en direction à la mer, arrêtons-nous devant le **Palais de la Vice-reine (10)**, de style baroque, avec décoration rococo (XVIIIe s.) et des allusions continuelles aux douze mois de l'année. Ce palais fut commandé par le vice-roi Manuel de Amat i de Junyent afin de s'y installer lors de son retour de voyage au Pérou. Cependant, il mourut quelques années après la fin des travaux et ce fut donc sa veuve (d'où le nom) qui l'occupa durant plus longtemps. On le considère le meilleur modèle, le plus parfait et le mieux achevé, de l'architecture civile cata-

Boutique moderniste à l'intersection des Ramblas et de la rue Petxina.

Pla de l'Os ou de la Boqueria : mosaïque de Miró.

lane du XVIIIe siècle. L'ensemble fut déclaré Monument historico-artistique d'intérêt national en 1941.

En poursuivant notre route nous découvrirons, à droite aussi, le populaire **Marché de la Boqueria (11)** (ou de Sant Josep), une des constructions "modernistes" de Barcelone devant laquelle il faut obligatoirement s'arrêter afin de pouvoir admirer les toits transparents, de fer et de verre et profiter de l'ambiance. Ce marché ouvrit ses portes au XVIIIe siècle.

Plus bas, dans la zone connue sous le nom de Rambla dels Caputxins, au **Pla de l'Os** connu aussi sous le nom de **Pla de la Boqueria (12)** nous pourrons nous promener "sur" l'art car Miró

Enseigne du Marché de la Boqueria et dragon de la Maison Bruno Quadros, sur le Pla de l'Os.

Grand Théâtre du Liceu.

Café de l'Opéra.

réalisa, en 1977, une mosaïque que nous pouvons contempler sur le sol et qui est dédiée au marché.
Nous arrivons enfin devant le siège par excellence de la culture catalane. Le **Grand Théâtre del Liceu (13)**, inauguré en 1847, est un véritable orgueil pour les barcelonais. Les salles principales du Liceu furent malheureusement détruites par un incendie, en janvier 1994 et seule la façade qui donne sur les Ramblas se sauva des flammes. Après une longue période de travaux comprenant l'agrandissement du bâtiment du côté Sud, le Liceu fut à nouveau inauguré fin 1999. L'édifice fut construit au XIXe siècle sur ce qui avait été autrefois un couvent de Trinitaires déchaussés. C'était la meilleure représentation de la splendeur de la bourgeoisie catalane de l'époque. En 1861 déjà il souffrit un terrible incendie qui obligea à la reconstruction de l'édifice. L'architecte Mestre se vit confier la tâche mais il fut remanié plus tard par Pere Falqués qui participa à sa construction originale. Ce n'est cependant pas le seul accident grave que connut l'édifice car en 1893, un anarchiste jeta deux bombes sur les spectateurs. Une seule explosa et causa plus de 20 morts. Après ces incidents, le Liceu se récupéra et atteint la splendeur qui lui permit de se compter parmi les plus grands théâtres du monde, connu internationalement. Avec sa grande corbeille et ses cinq étages, il pouvait accueillir 3 500 spectateurs. Seul le théâtre de la Scala de Milan est plus grand. A l'intérieur, on pouvait admirer le plafond de la partie centrale, considéré un grand exemplaire de l'art d'intérieur catalan du siècle dernier. Juste en face du Liceu nous verrons le **Café de l'Opéra**, local qui conserve tout l'arôme du début du siècle.
Et d'un trésor à un autre car, à la rue Nou de la Rambla se dresse le **Palais Güell (14)**, oeuvre de Gaudí. A l'inté-

Palais Güell.

rieur nous admirerons les mosaïques des cheminées et les arcs paraboliques de l'entrée, absolument nouveau pour l'époque. Le comte Güell demanda à Gaudí de lui construire ce petit palais qui devait être le cadre de ses réunions sociales et servir de demeure à ses invités. En deux ans (coïncidant avec l'Exposition universelle de 1888), les travaux furent achevés. Le palais est très grand. Il fut déclaré Monument historico-artistique

Toit du Palais Güell.

Place Royale.

Place Royale : réverbère conçu par Gaudí et Fontaine des Trois Gloires.

d'intérêt national en 1969 et en 1984 l'UNESCO l'intégra dans son catalogue de Biens culturels du patrimoine mondial.
Continuons notre chemin vers la Méditerranée afin de pouvoir découvrir, maintenant à gauche, une des place les plus traditionnelles de la Ciutat Comtal: la **Place Royale (15)**. Il s'agit d'une grande place à arcades, avec des immeubles réguliers aux grandes baies construits sur un ancien couvent de capucins, avec de nombreux bars et des terrasses. Au centre, le bassin avec les Trois Gloires et les réverbères à six bras dessinés par Antoni Gaudí. Ici, le bariolage des gens dépasse l'imagination: on peut y voir de tout. Depuis quelque temps, de nombreux artistes et des intellectuels achètent et rénovent des appartements qui donnent sur la place (qui rejoint, sur un latéral, la rue Ferran), ce qui donne un certain air intellectuel à la place. Les dimanche matin, c'est le rendez-vous des numismates et des philatélistes.
L'endroit connu sous le nom de **Place du Théâtre (16)** (où se trouve le **monument à Pitarra**, oeuvre de Pere Falqués et Augustí Querol) reçoit le **Théâtre Principal**, le premier qui fut créé à Barcelone et qui conserve encore sa façade. L'édifice date de la fin du XVIe siècle et fut un privilège offert par le monarque Philippe II. Il servait autrefois de scène de répétition pour les oeuvres représentées au Liceu et fut réouvert comme théâtre en 1999. Juste en face, la dernière université créée à Barcelone s'est installée dans des immeubles voisins: il s'agit du **Centre Universitari Pompeu Fabra**.
Un des musées préférés de Barcelone se trouve sur la **Rambla Santa Mònica**. Il s'agit du **Musée de Cire (17)** (avec

Monument au dramaturge et poète Frédéric Soler, " Pitarra ".

Entrée au Musée de Cire.

Salle du Musée de Cire.

plus de 300 personnages), situé dans le petit passage de la Banca. Il est installé dans un bel immeuble du XIXe siècle qui fut, durant le siècle dernier, le siège de plusieurs succursales bancaires. Le musée fut fondé en 1973 par le cinéaste Enrique Alarcón qui se servit de toute sa science pour recréer l'ambiance des époques auxquelles vécurent les personnages représentés en cire.

Juste en face, **Centre d'Art de Santa Mònica (18)**, situé dans les anciennes dépendances du couvent de même nom qui fut construit en 1926. Abandonné au XIXe siècle à cause de son mauvais état, il fut récupéré et rénové par les architectes Piñón et Viaplana.

Ceux qui veulent découvrir une Barcelone plus profonde peuvent pénétrer, sur la droite des Ramblas, dans le quartier connu sous le nom de **Raval** qui cache dans ses ruelles des boîtes nocturnes singulières.

La promenade sur les Ramblas s'achève sur la **Portal de la Pau** sur laquelle se dresse le spectaculaire **Monument à Colomb (19)**. Construit pour l'Exposition universelle de 1888 il nous indique où se trouvent les Amériques qu'il découvrit voici déjà 500 ans. Il s'agit d'une colonne de 87 mètres de hauteur couronnée par une statue du découvreur qui mesure plus de 7 mètres. On

Centre d'Art de Santa Mònica.

Monument à Colomb. ▶

Portal de la Pau, Club Nautique Royal de Barcelone et le Maremágnum.

Porte d'Europe, pont-levis dans le port de Barcelone.

peut y monter en ascenseur et profiter, depuis là-haut, d'un beau panorama sur la ville. Aux pieds de la colonne, le **Port de Barcelone (20)** avec les "golondrinas" et d'autres embarcations qui nous proposent une petite balade sur les eaux afin de pouvoir découvrir un autre profil de la ville: sa façade maritime, tout particulièrement celle récupérée pour les Jeux Olympiques de 1992. Egalement face au Monument à Colomb se trouve la **Pasarela de Mar**, un passage original dressé au dessus de la mer et conduisant au centre commercial du **Maremágnum** (voir itinéraire 3).

Nous pourrons ajouter une autre touche culturelle à notre promenade en visitant le **Musée Maritime (21)**, situé devant la Méditerranée et qui abrite des embarcations spectaculaires et le témoignage de la grandeur marine de tout le pays

Les "golondrines" (Bateaux-mouche).

Le téléphérique et le quartier de la Barceloneta.

Vue aérienne du port de Barcelone.

Trois images des " Drassanes ", aujourd'hui siège du Musée Maritime : extérieur, salle intérieure et galère de Jean d'Autriche.

(particulièrement des XIVe et XVe siècles). Installé dans une des trois grandes salles des **Drassanes (22)** qui sont actuellement utilisées pour des réunions sociales ou culturelles de Barcelone mais qui durant des siècles fabriquèrent les nefs les plus importantes de l'histoire navale du pays. C'est d'ici que sortirent les bâtiments qui participèrent aux batailles de Tunis ou de Lépante. Ces chantiers navals furent construits au XIVe siècle par Arnau Ferrer et ils sont considérés, par leur envergure et leur état de conservation, parmi les meilleurs du monde actuel. C'est à Drassanes que nous trouverons aussi l'un des portails des anciennes **murailles médiévales (23)**, dans les jardins qui entourent le musée. C'est le seul vestige de murailles à Barcelone. Elles furent mises à jour en 1939 lors de la dernière reconstruction des chantiers navals. En 1976, l'ensemble fut déclaré Monument historico-artistique d'intérêt national.

Ces chantiers navals barcelonais sont justement le point de départ d'une des artères les plus connues de Barcelone,

Murailles médiévales.

Avenue du Paral·lel : " El Molino " avant sa fermeture, en 1999, et monument à Raquel Meyer, artiste de variétés.

Théâtre Arnau.

avec une histoire profonde car elle fut durant des années berceau de l'animation et des spectacles de la ville. L'Avenue du **Paral·lel (24)** de Barcelone fut pour beaucoup leur premier contact avec le monde des "variétés". Cette avenue doit son nom au fait qu'elle coïncide avec le parallèle 41-44 de latitude nord. Elle est bordée par de nombreux théâtres (**Apolo, Arnau**...) qui ont beaucoup compté dans la vie barcelonaise bien que le plus important et le plus traditionnel soit, sans aucun doute, **El Molino**, inauguré en 1913, même s'il ferma ses portes en tant que salle de spectacles en 1999. Actuellement on trouve sur l'avenue, outre les théâtres déjà cités, de nouveaux venus et des macro-boîtes installées dans d'anciennes salles de spectacle.

Et nous serons surpris de trouver, au milieu de ce quartier, la belle **église de Sant Pau del Camp (25)** qui fut une abbaye bénédictine au Xe siècle et qui est, incontestablement, un exemplaire du roman catalan du Xe siècle et même d'avant car nous pourrons y voir une pierre sépulcrale de Guifré II de 912. La construction est entourée par un jardin dont l'entrée se trouve sur la rue Sant Pau. La façade présente des arcs lombards et les restes d'une fortification. Le cloître intérieur est le seul cloître roman présentant des arcs trilobés. Son nom provient des champs qui l'entouraient autrefois. C'est une église en croix grecque qui fut déjà déclarée d'Intérêt national en 1879 bien qu'elle fût sérieusement touchée postérieurement, surtout durant la "Setmana Tràgica" catalane, en 1909.

Église de Sant Pau del Camp et détail de la façade.

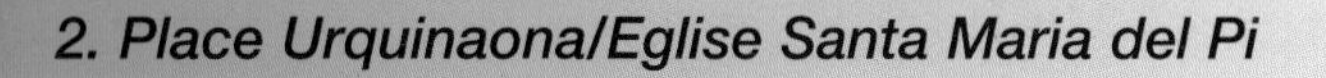

2. Place Urquinaona/Eglise Santa Maria del Pi

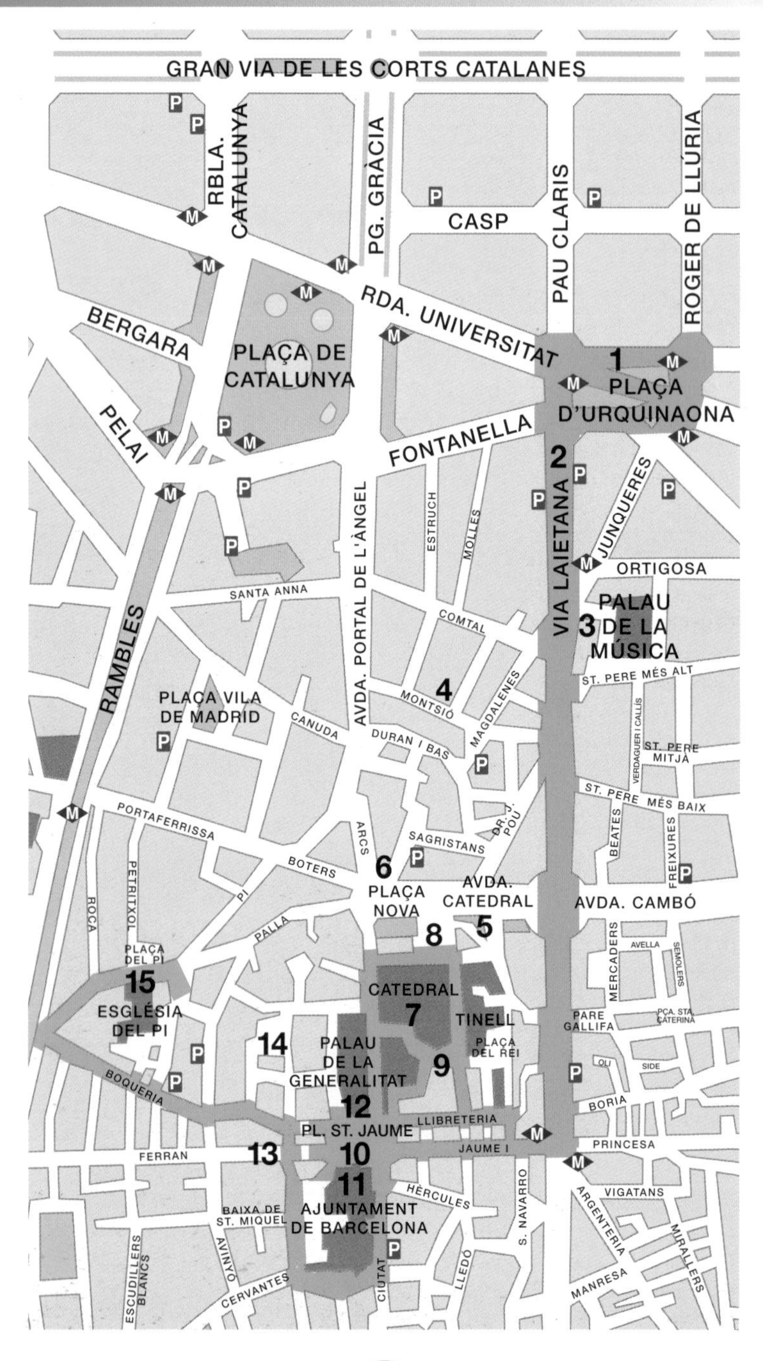

ITINERAIRE 2: (***) (AM)

Barcelone nous découvrira, au long de ce parcours, ses joyaux les plus anciens et les plus précieux. Une promenade qui nous conduira au coeur original de cette Barcino, sa vieille ville, son quartier gothique et, tout particulièrement, sa cathédrale. Toute une enceinte qui fut entourée de muraille jusqu'au XIXe siècle et qui cachait dans ses entrailles la ville qui fut tout d'abord romaine et ensuite médiévale.

1.- Place Urquinaona (*). 2.- Via Laietana (*). 3.- Palais de la Musique Catalane (***). 4.- Els Quatre Gats (**). 5.- Avenue de la Cathédrale(*). 6.- Corps d'Architectes (*). 7.- Cathédrale (***). 8.- Pla de la Catedral (**). 9.- Barri Gòtic (***). 10.- Plaça de Sant Jaume (**). 11.- Mairie (***). 12.- Palais de la Generalitat (***).13.- rue Ferran (*). 14.- Quartier juif (**). 15.- Eglise de Santa Maria del Pi (***).

Mais avant de voyager dans le temps aux origines de Barcelone nous connaîtrons d'autres points intéressants proches de la vieille ville. Nous commencerons notre parcours à la **Place Urquinaona (1)**, située au coeur de la ville et nous descendrons par la **Via Laietana (2)**. C'est la seule voie de toutes celles que projeta Cerdà qui traverse la vieille ville. Elle fut inaugurée en 1907 afin de créer une voie rapide entre la mer et le centre de Barcelone. Il faut tout de même signaler que sa construction mutila une intéressante zone historique. Dans la partie supérieure de l'avenue, signalons quelques immeubles (par exemple la **Maison dels Velers**, ancien siège de l'Art Majeur de la soie, construite au XVIIIe siècle) qui se sauvèrent de la démolition. Des organismes importants tels la **Bourse de Barcelone** ou la **Caixa de Pensions de Barcelona**, occupent quelques-uns de ces bâtiments.

En descendant la rue, sur la gauche (en entrant dans la rue Amadeu Vives) nous arriverons devant le **Palais de la Musique Catalane (3)**. Construction moderniste réalisée entre 1905 et 1908

Maison dels Velers.

Bâtiment de " La Caixa ".

sur des terrains qui avaient été occupés par les anciens cloîtres renaissance du Couvent des Minimes. C'est un véritable chef d'oeuvre de l'architecte Domènech i Montaner. Il naquit afin de pouvoir accueillir les concerts de l'Orfeó Català, chorale fondée en 1891 par Lluís Millet et Amadeu Vives et qui eut une grande importance dans l'expansion de la musique catalane. Mais il s'intégra très vite à la ville et devint le siège habituel des manifestations de la culture autochtone. Sa façade extérieure est très bien adaptée au lacis de ruelles qui l'entourent. Les céramiques qui recouvrent sa façade contrastent avec la brique rouge qui la complète. C'est cependant l'énor-

Trois angles du Palais de la Musique Catalane.

Deux détails de l'intérieur du Palais de la Musique Catalane.

me groupe sculptural qui se trouve au premier étage qui attirera le plus notre attention. Il représente un saint Georges dans son armure et en position de combat. Entouré de personnages quotidiens on peut voir, à ses pieds, une jeune fille qui représente la musique catalane. Cette réalisation de Miquel Blay i Fàbregas est considérée un chef d'oeuvre de la sculpture réaliste catalane. Sur la façade principale on peut voir, entre les colonnes décorées, un relief portant l'écu de la Catalogne sur lequel on peut lire " Orfeó Català ". L'ensemble se divise en trois corps successifs: les accès, l'auditorium et la scène, reliés entre eux par de nombreux recours décoratifs capables de créer une atmosphère unitaire. Les portes d'entrée sont formées par de grands arcs sur lesquels se trouve un balcon qui entoure tout l'édifice. A l'intérieur se trouve la principale salle de concert de la Catalogne, ovale, pouvant accueillir 2 000 personnes. Signalons les colonnes et le sol en marbre, les énormes perrons, la décoration abondante, les larges baies aux vitraux multicolores, la céramique, le grand oeil-de-boeuf central. Un orgue énorme se trouve au milieu de la scène. Il est présidé par un écusson de la Catalogne, oeuvre de Lluís Bru avec, sur les côtés, des sculptures en céramique de Bru et d'Eusebi Arnau entre autres. De nombreux artistes de l'époque participèrent à la décoration de ce palais ce qui explique sa richesse et son harmonie. Ce palais est, en un certain sens, pour les catalans, une cathédrale de la musique. En 1909, le Palais de la Musique Catalane obtenait le Prix au Meilleur Bâtiment de l'Année de la Mairie de Barcelone et, en 1997, il était déclaré Patrimoine de l'Humanité par l'UNESCO.

Sur la Via Laietana, si nous prenons sur la droite la rue Montsió (au numéro 3), nous connaîtrons ce qui fut la première réalisation importante de l'architecte Puig i Cadafalch. Il s'agit de la **maison Martí**, plus connue sous le nom de **Els Quatre Gats (4)**, construite en 1895. La maison est une construction avec mansarde et couronnée de créneaux avec des arcs en lancette au rez-de-chaussée et un balcon couvert sculpté. Il connut son époque de splendeur au début du siècle, lorsqu'il était occupé par une brasserie-cabaret qui comptait parmi sa clientèle des personnages aussi illustres que Santiago Rusiñol, Pere Romeo ou Gaudí lui même. Il abrita ensuite le Cercle artistique de Sant Lluc et c'est actuellement un bar-restaurant.

Continuons notre descente vers la mer. Nous trouverons, à droite, la Plaça Nova qui avec le Plà de la Seu (auquel elle fut unie en 1943) forme le seul vestige de la grande avenue conçue par Cerdà et qui devait traverser horizontalement la vieille ville: il s'agit de l'**Avenue de la Cathédrale (5)**. Cet endroit sert habituellement de cadre aux fêtes populaires et aux concerts. Il y a aussi un petit marché qui s'installe tous les jours et dans lequel on peut trouver de vieux livres et quelques antiquités. Les dimanches matins, les catalans amants du folklore s'y réunissent afin de danser la traditionnelle "sardane". Pour Noël, cette place accueille une foire très particulière, la "Fira de Santa Llúcia", foire de santons et de décorations typiques de Noël.

A une des extrêmités de cette grande avenue se dressent les lignes modernes du **Corps d'Architectes de Catalogne (6)** avec, sur la façade, des graphismes de Pablo Ruiz Picasso représentant des scènes des fêtes populaires barcelonaises. Les peintures murales du vestibule sont aussi dues

Façade du café-restaurant " Els Quatre Gats ".

Avenue de la Cathédrale.

Peinture murale de Picasso sur la façade du Corps des Architectes de Catalogne.

Façade principale et intérieur de la Cathédrale de Barcelone.

au génial peintre de Malaga. La construction, qui contraste de façon voulue avec son entourage, fut dessinée par l'architecte Busquets.

Et enfin, présidant la place, la **Cathédrale de Barcelone (7)**, dédiée à la sainte Croix et à sainte Eulalie (ancienne patronne de la ville). La construction commença en 1298 par le portail de la rue de Sant Iu, sur les ruines d'une antérieure cathédrale romane (qui se dressait à son tour sur une chapelle paléochrétienne du IVe siècle). Elle fut achevée en 1459, suivant le style gothique. Il faut cependant signaler que la façade principale et la lanterne (avec une aiguille pointue) furent réalisées à la fin du siècle dernier d'après les plans de Josep Oriol Mestres et August Font.

Sa structure est de trois nefs de même hauteur, avec un déambulatoire et des chapelles radiales qui continuent dans les contreforts. Il y a, sur ces chapelles, une galerie supérieure qui fait croire à l'existence de deux autres nefs et donne une plus grande impression de luminosité et de grandeur. La façade principale, avec deux clochers en forme de tours octogonales qui s'appuient sur un transept, fut réalisée durant la période gothique, ce qui se retrouve dans la simplicité de ses lignes et dans l'idée de la verticalité. Sur ses

Crypte de Santa Eulalia.

Christ de Lepanto.

murs intérieurs sobres on peut voir d'importantes empreintes historiques et artistiques. La **crypte de Santa Eulalia,** située sous le presbytère (où l'on peut voir un crucifix installé en 1976, oeuvre de Frederic Marés), en est une. Avec une curieuse voûte presque plate divisée en deux arcs sous laquelle le sarcophage de la sainte -qui date du XIVe siècle- est soutenu par des colonnes d'albâtre sculptées. Les **stalles du choeur** (avec des colonnes et une frise végétale de style plateresque), situé au centre de l'édifice, fut construit au XIVe siècle par le père Ca Anglada et Macià Bonafé. Nous y remarquerons la peinture et l'orfèvrerie. Rendons-nous ensuite à la **salle capitulaire,** transformée en chapelle du Saint-Sacrement, qui renferme le célèbre Christ de Lépante qui se trouvait embarqué dans la nef de Jean d'Autriche à

Porte de Sant Iu.

Porte de Santa Eulalia.

la bataille de Lépante. Près du **maître-autel** (consacré en 1337), signalons un retable en bois du XVe siècle.
Plusieurs portes nous permettent l'accès à la cathédrale. La **porte de Sant Iu**, la plus ancienne, se trouve sur l'actuelle rue de Els Comtes. Il y a aussi les **portes de Santa Eulalia, Santa Llúcia**

Porte de la Piété.

Cloître.

Clef de voûte à " la Vierge de la Miséricorde ", dans la nef centrale.

Chapelle de Santa Llúcia.

" La Piété " (Bartolomé Bermejo, 1490).

et **de la Piété**. Elles donnent sur le beau **cloître** de la cathédrale (XIVe siècle). Il est entouré de chapelles et de grandes baies qui entourent le patio intérieur avec des plantes et une fontaine gothique. Il est d'une beauté époustouflante avec ses galeries aux voûtes en croisé d'ogive qui s'ouvrent sur des arcs en lancettes et entourent le jardin. Le jour de la fête de Corpus Christi une manifestation originale a lieu dans ce jardin. Il s'agit de l'"ou que balla" (l'oeuf qui danse). La tradition veut que l'on place une coquille d'oeuf au sommet d'un jet d'eau et que celui-ci reste en équilibre sans retomber. Au bout du cloître nous trouverons la **chapelle de Santa Llúcia**, de 1268 et qui appartenait, à l'origine, au Palais épiscopal. Elle fut construite par l'évêque Arnau de Gurb. Installé dans la **Salle capitulaire** du cloître, le **Musée de la Cathédrale**, spécialiste en oeuvres religieuses qui, bien que peu nombreuses ont une grande valeur artistique: exemplaires de peinture gothique et renaissance, avec "La Piété", de Bartolomé Bermejo. En 1929, la Cathédrale fut déclarée Monument historico-artistique d'intérêt national.

A la porte de la cathédrale, au **Pla de la Seu (8)**, sur l'original "Mons Taber", nous pourrons voir, à gauche, la **maison du Degà** et, à droite, celle de la **Pia Almoina**, construction du XVe siècle, détruite en 1400 et reconstruite 23 ans plus tard. Elle fut bâtie afin d'accueillir la Pieuse Aumône, institution bénéfique fondée au Xie siècle. Actuellement, la Maison de la Pia Almoina est le siège du **Musée du Diocèse** et expose des exemples d'art sacré, de la période romane jusqu'à nos jours.

Le **Barri Gòtic (quartier gothique) (9)** est la zone qui entoure la cathédrale. Un entrelacs de ruelles étroites et

Musée Frederic Marès.

courtes qui conservent tout leur arôme historique. Il est agréable de flâner dans ses rues et d'en observer tous les détails (qui sont nombreux) et les constructions ainsi que les nombreux commerces qui l'habitent. Ce quartier nous fera découvrir une des zones les plus riches et caractéristiques de toute la ville.

A droite de la cathédrale, la rue des Comtes (à côté de la Pia Almoina) nous conduit à la plaça de Sant Iu où se trouve le **Musée Frederic Marès** (au numéro 5), qui fut donné à la ville par l'artiste et qui est installé dans une zone de l'ancien Palais Reial Major. Il comporte deux parties: une section de sculpture et une autre connue sous le nom de "Sentimental", témoignage de divers travaux artisanaux et de la vie quotidienne du XVe au XIXe siècles.

Près d'ici, dans la rue Paradís, une roue de moulin incrustée dans le sol nous indique le point le plus haut du Mont Taber, de 16 m d'altitude; il s'agissait d'une colline qui se dressait juste au

Temple romain d'Auguste.

centre de l'ancienne ville Barcino. Mais l'aspect le plus intéressant se trouve dans le patio intérieur de la maison gothique devant laquelle se trouve cette roue, et qui accueille depuis quelques années le siège du Centre d'Excursions de Catalogne. Il s'agit des vestiges d'un **temple romain en hommage à Auguste**, duquel sont conservées quatre grandes colonnes d'ordre corinthien et une partie de l'entablement qui les recouvrait.

Nous pouvons aussi réaliser une intéressante visite au **Musée d'Histoire de la Ville**, situé dans la **Maison Claria-**

Place du Roi.

na Padellàs (4, rue del Veguer). Cette maison fut construite à la fin du XVe siècle mais la construction de la Via Laietana obligea à la déplacer jusqu'ici. Elle se trouvait autrefois à la rue de Mercaders. Lors des travaux de fondation pour son nouvel emplacement, les restes de la citadelle romaine furent mis à jour et conservés. On décida alors d'installer dans ces murs le musée historique de la ville. Son patrimoine se compose d'objets architecturaux, de documents, de cartes, de maquettes, de thermes, des vestiges wisigoths d'une ancienne nécropole, de bains arabes. Il arrive jusqu'à la basilique et le baptistère du sous-sol de la cathédrale. La maison fut déclarée Monument historico-artistique d'intérêt national en 1962.

Un peu plus loin nous trouverons la **Place du Roi**, une des plus singulières de toute la ville et qui fut durant des siècles le centre commercial de la paille et du fourrage. Il s'agit du centre médiéval sur lequel nous verrons le **Palais du Lloctinent**, le **Palais Reial Major** et la **Chapelle de Santa Àgueda**. Elle doit son nom aux édifices illustres qui l'entourent car il s'agissait en réalité de la cour ou basse-cour du palais original. Elle doit son aspect actuel aux travaux commencés par le roi Martí "l'humà" qui prétendait ainsi, avec son aspect tellement fermé, la séparer du brouhaha et du mouvement qui venaient des rues adjacentes. Avant la construction du Palais du Lieutenant (qui occupa une grande partie de son espace), on y voyait des arbres et une fontaine néogothique. Mais avec les fouilles réalisées durant notre siècle, il fallut la

redessiner et lui donner l'aspect que nous lui connaissons aujourd'hui.
Si nous entrons sur la place (après avoir dépassé une sculpture de Chillida), nous verrons, sur la gauche, le **Palais du Lloctinent** qui fut construit lorsque Barcelone perdit sa condition de cour royale et que le palais royal fut partagé entre l'Inquisition, l'Audience royale et la "Batllía" générale, afin d'offrir une résidence digne au lieutenant de la ville et que l'Audience puisse y célébrer ses séances. L'architecte fut Antoni Carbonell qui construisit, au milieu du XVe siècle, un seul bloc rectangulaire de style renaissance. Le bâtiment fut ensuite restauré pour accueillir les Archives de la Couronne d'Aragon depuis 1836, l'un des fonds d'archives médiévales les plus importants du monde et qui fut transféré en 1994 dans de nouvelles installations, dans la ville de Sant Cugat del Vallès.
Dans l'angle des bâtiments du Palais du Lloctinent et du Palais Reial Major se dresse la tour appelée **Tour du Roi Martí**, une tour-mirador de cinq étages, construite en 1555 et dont la fonction était de surveiller la côté pour éviter des attaques par surprise. La visite et la montée à la tour font partie d'un itinéraire proposé par le Musée d'Histoire de la Ville, itinéraire qui comprend également le Palais Reial Major et la Chapelle de Santa Agata, et qui mène jusqu'aux fondations de la Cathédrale afin d'admirer les vestiges de l'ensemble épiscopal d'origine de Barcelone, qui remonte à l'époque wisigothe.
Sur la partie frontale, le **Palais Reial Major** est le plus ancien des édifices

Palais du Lloctinent.

Salon du Tinell.

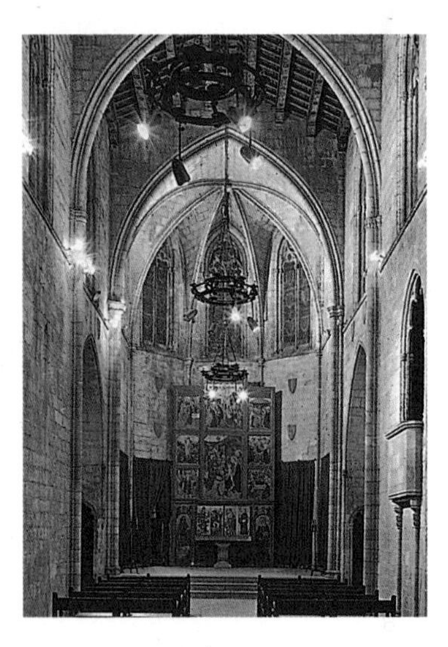

Chapelle de Santa Àgueda.

Monument à Raymond Bérenger " le Grand ".

de cette place. Il fut résidence des comtes de Barcelone et rois de la couronne catalano-aragonaise. La construction originale date du XIe siècle bien qu'elle souffrit plusieurs modifications postérieurement. Ce fut tout d'abord Ramón Berenguer IV qui, au XIIe siècle, fit construire un nouveau bâtiment à l'entrée de la rue de Els Comtes. Cet édifice abrita postérieurement le Tribunal de l'Inquisition. Au XIIIe siècle, Jacques I fit agrandir le palais et sous le règne de Jacques II et d'Alphonse "le Bénin" (XIVe siècle), il fut aussi soumis à plusieurs remaniements. Ce fut cependant sous Pierre "le Cérémonieux" qu'eurent lieu les travaux les plus importants car il créa le **Salon du Tinell** (XIVe siècle), très grande salle rectangulaire avec 6 arcs diaphragmatiques en plein cintre unis à leurs extrêmes par des voûtes qui supportent, au centre, un plafond de bois. Les travaux furent dirigés par Guillem Carbonell et le salon fut décoré par le peintre Jaume Desfeu. Ce salon fut témoin de nombreux événements historiques: l'arrivée de Colomb des Amériques en 1493, lorsqu'il fut reçu par les Rois Catholiques; il accueillit aussi les restes mortels et illustres de Charles de Vienne et de Jean II, occasion pour laquelle les chevaliers du cortège entrèrent dans le salon à cheval pour démontrer leur respect.

A droite (partageant l'espace avec la Place Ramon Berenguer III) se trouve la **Chapelle de Santa Agueda**, sur l'ancienne muraille romaine. Elle fut construite au XIV siècle par Jaume II, afin de remplacer l'ancien oratoire du palais royal. De style gothique, avec une seule nef de 4 travées, recouverte de bois polychrome. Son abside est décorée par des écus de la Catalogne

et d'Aragon. A l'intérieur nous aurons l'occasion d'admirer, sur le retable actuel, un des chefs d'oeuvres de la peinture gothique catalane: "Del Condestable", oeuvre de Jaume Huguet, de 1465. L'antérieur retable, aujourd'hui disparu, était de Ferré Bassa.
Hors déjà de cette place, sur le côté qui nous fera rejoindre la Via Laietana, se dresse la sculpture équestre de bronze de **Berenguer "el Gran"**, oeuvre de Josep Llimona, sur la place qui porte le même nom, près des vestiges des murailles romaines. Ici, où les murailles mesure près de 7 mètres de hauteur, se dressent trois tours de deux étages avec des arcs en demi cercle.
Si nous poursuivons notre itinéraire en revenant à la cathédrale, cette fois-ci à gauche, nous verrons, face à l'entrée de la Chapelle de Santa Llúcia, la **Maison de l'Ardiaca** (qui forme avec la maison du Degà un ensemble unique), une construction commencée au XIIe siècle, exemplaire du gothique flamboyant catalan (avec des indices renaissance), située sur une partie de l'ancienne muraille romaine. Entre les XVe et XVIe siècles, elle subit plusieurs remaniements dirigés par l'archidiacre Lluís Desplà et, jusqu'au XXe siècle, les reconstructions ont été constantes. La porte d'entrée, dessin à la romane et ornements renaissance, s'ouvre sur une cour centrale. A côté du portail renaissance nous pouvons voir une boîte aux lettres en marbre, oeuvre de Lluís Domènech i Montaner, avec des hirondelles et une tortue, "symboles de la rapidité avec laquelle nous aimerions voir arriver nos messages et la lenteur avec laquelle ils arrivent". Au long des ans, la Casa de l'Ardiaca a été tour à tour siège du Barreau de Barcelone, des Archives historiques de

Maison de l'Ardiaca.

Boîte aux lettes moderniste sur la façade de la Maison de l'Ardiaca.

Palais Épiscopal.

Église de Sant Felip Neri.

Détail d'une maison sur la place de Sant Felip Neri.

la ville et, actuellement, de l'Institut municipal d'histoire de Barcelone.

Quant au **Palais Episcopal**, sa construction originale remonte au XIIIe siècle mais il n'en reste que quelques vestiges que l'on peut voir dans la cour et les galeries romanes. Le reste est dû aux travaux d'agrandissement réalisés au XVIIe siècle, avec le grand salon du trône décoré de scènes de l'Ancien Testament.

Si nous suivons la rue du Bisbe et nous prenons celle de Sant Sever, nous arriverons à l'**église de Sant Felip Neri**, sur la place de même nom, et au numéro 9 de la rue Sant Sever nous verrons l'**église de Sant Sever** -XVIIIe siècle- avec un intérieur intéressant et une statue du saint sur la façade. La place Sant Felip Neri se trouve sur l'ancien cimetière de Montjuïc del Bisbe. Au milieu du siècle elle dut être remaniée à cause de la détérioration conséquence de la Guerre civile (les traces de balles et de mitraille n'ont pas été effacées de la façade de l'église afin de ne jamais oublier les effets tragiques d'une telle guerre). Au centre, il y a une belle fontaine avec des acacias. Autour de la place nous trouverons la **maison del Gremi de Calderers**, transportée ensuite pierre à pierre, la **maison du Gremi dels Sabaters,** transportée d'ailleurs et qui abrite le **Musée du Calçat Antic** avec ses

chaussures anciennes et celles utilisées par des personnages célèbres et l'**église de Sant Felip Neri.** Cette église et le couvent qui lui est adossé appartenaient à l'ordre de la Congregació de Clergues Seculars de l'Oratori, ordre du XVIIe siècle. De style baroque et une seule nef avec chapelles qui se communiquent entre elles, elle conserve en son intérieur plusieurs autels baroques et néoclassiques. Sa façade, aux lignes simples, est couronnée par une niche avec la statue du saint.
Le couvent annexe possède un cloître fermé de deux niveaux. Dans la rue du Bisbe nous verrons aussi la **Maison dels Canonges,** reliée au Palais de la Generalitat par un pont de style gothique qui fut construit en 1928. Il

Rue du Bisbe.

Façade principale de la Mairie de Barcelone.

Salon de Cent. Mairie de Barcelone.

s'agit d'un ensemble de bâtiments du XIVème siècle, très réformés, qui, d'antan, servaient de lieu de résidence aux présidents de la Generalitat.
Et enfin la **Place Sant Jaume (10)**, agrandissement de l'ancienne "agora" romaine et sur laquelle se trouve aussi l'église de Sant Jaume. Les représentants du pouvoir de la ville s'y sont toujours installés (actuellement, elle est aussi le témoin de célébrations, particulièrement sportives, et centre de revendications populaires). La place telle que nous la connaissons actuellement ne commença à se structurer ainsi qu'à partir de 1823, avec l'ouverture des rues Jaume I (qui vient de la Via Laietana) et Ferran (qui débouche sur les Ramblas barcelonaises). Elle accueille actuellement les deux organismes politiques et gouvernementaux les plus importants de Barcelone et de la Catalogne car, face à face, se dressent le **Palais de la Generalitat** (gouvernement autonome dont les origines remontent aux Corts catalanes du XIIIe siècle) et la **Mairie** ou **Ajuntament.**
L'**Ajuntament de Barcelona (11)** est, en réalité, un groupe de trois bâtiments (le "vieux", le "neuf" et le "très neuf") qui forment une seule construction. C'est pour cela que la combinaison de styles est quelques fois excessive. L'édifice "vieux" fut construit par Pere Llobet au XIVe siècle, lorsque le Salon de Cent fut construit (une plaque indique que ce fut en 1373) au cours des travaux d'agrandissement d'une maison qui fut justement achetée au Conseil des Cent. L'architecte Arnau Bargués dressa, en 1399, une façade principale gothique qui donnait sur l'actuelle rue de la Ciutat, avec

Façade gothique de la Mairie.

une statue de l'archange saint Raphaël qui s'y trouve encore. Par ailleurs, et à cause de l'incendie qui détruisit l'ancienne église de Sant Jaume en 1822, on agrandit la mairie en créant l'actuelle Place Sant Jaume et en construisant une façade néoclassique (oeuvre de Josep Mas i Vila) qui présida l'immeuble. A l'entrée nous verrons les statues du roi Jacques I (à gauche) et celle du conseiller Joan Fiveller (grand défenseur des droits municipaux). On construisit postérieurement, en 1933, un nouveau bâtiment de bureaux (le bâtiment "neuf"), qui donne sur la rue Ciutat et un autre (le "très neuf"), en 1958, sur la Plaça de Sant Miquel.

En entrant dans l'Hôtel de ville par sa façade actuelle, nous nous dirigerons vers un patio central (de style gothique) où naissent deux perrons: le "noir", à cause de la couleur de son marbre et celui d'"honneur". Les jolis salons y sont nombreux. Malgré sa reconstruction, le **Salon de Cent** conserve d'intéressantes stalles avec des tentures barrées et une décoration qui nous rappelle ses origines gothiques et où les allusions aux diverses corporations sont constantes. De son plafond de bois pendent des lampes dont la décoration nous parle de la couronne catalano-aragonaise. Le **Salon de Sessions** servit de résidence à la reine Marie Christine de Habsbourg lorsqu'elle assista à l'Exposition universelle de 1888 à Barcelone, accompagnée du futur roi Alphonse XIII. Le parquet porte les armoiries de la ville. D'autre part, le **Salon des Chroniques** reçut durant de longues

Place Sant Just (près de la place Sant Jaume) : Église de Sant Just et Sant Pastor et fontaine gothique.

Palais de la Generalitat.

années les grandes réceptions. Plusieurs événements historiques sont représentés sur de magnifiques toiles de couleur sépia.

De l'autre côté de la place se dresse le **Palais de la Generalitat (12)**. L'assemblée catalane décida, en 1403, que le volume de son travail exigeait son installation dans un siège qui lui soit propre. L'édifice primitif donnait sur la rue Sant Honorat, dans le "call" (quartier) juif. Durant la transition et jusqu'au XVIIe siècle, le bâtiment fut agrandi jusqu'à la rue Sant Sever et la façade de la Plaça de Sant Jaume fut construite. C'est une oeuvre de style renaissance de Pere Baly. Elle était conçue, à l'origine, comme une grande chapelle dédiée à saint Jacques, située sur le vestibule d'entrée.

A l'intérieur de ce palais nous découvrirons une **cour gothique** avec un perron ouvert qui conduit au premier étage. Les arcades de cet étage reposent sur de fines colonnes. Le **Salon de Sant Jordi** est un véritable joyau caché entre ces murs. Réalisé au XVe siècle, il possède une voûte étoilée avec, au centre, saint Georges entouré d'anges. Le **Pati dels Tarongers** (Patio des Orangers), de Pau Mateu et Tomàs Barsa, se structure autour d'un bassin couronné par une statue en bronze du patron de la ville, sculptée par Frederic Galcerà en 1926 et qui se blottit au milieu des orangers. Nous y verrons aussi un buste de Prat de la Riba et un autre de Francesc Macià. Depuis la cour nous verrons le **clocher de la Mairie** qui joue encore des airs du Moyen Age. De nombreux travaux ont eu lieu dernièrement dans cet édifice: le buste de Prat de la Riba a été réinstallé au Pati dels Tarongers;

Palais de la Generalitat : Patio des Orangers et galerie gothique.

Rue Ferran.

la décoration d'une salle a été confiée au peintre Jordi Alumà; des reliefs en bronze et en pierre ont été réalisés par Josep María Subirachs; la grande peinture sur bois sur les "Quatre Chroniques", d'Antoni Tàpies et une peinture de Montserrat Gudiol, dans ses caractéristiques nuances rouges, représentant Sant Jordi, y ont été accommodées.

La **rue Ferran (13)**, naît sur la Place Sant Jaume. Elle nous conduira en ligne droite jusqu'aux Ramblas. Tout autour de cette rue se trouve l'ancien **"Call" juif (14)**, le plus important de la Catalogne médiévale. On peut encore trouver quelques vestiges de cette époque à la rue Sant Domènech ou à celle de Marlet qui possède une pierre tombale dite Hassardí de 1314. Nous y trouverons aussi des rues comme celle de **Petritxol**, avec des immeubles du XVIe au XVIIIe siècle (et la **Galerie Parés**, la plus ancienne de Barcelone, datant de 1884) où il faut absolument aller prendre un chocolat liégeois avec des biscuits à la cuillère, ou celle de **la Palla** avec des bouquinistes et des antiquaires.

C'est précisément cette rue (ou celle de Banys Nous) qui nous conduira au dernier objectif de notre itinéraire: l'**église de Santa Maria del Pi (15)** qui se dresse sur la place de même nom. Sa construction commença en 1332 suivant le style gothique catalan. D'une seule nef et sans ornements sculpturaux, son clocher octogonal mesure 54 mètres de hauteur. A l'intérieur, nous remarquerons l'autel de saint Michel, celui de la Vierge "dels Desemparats", de Ramón Amadeu (les deux du XVIIIe siècle) et les vitraux de la baie située sur la porte latérale, d'Antoni Viladomat. Une façade latérale s'ouvre sur la **Place Sant Josep Oriol** alors que la façade principale, présidée par une belle rosace de douze bras (considérée la plus grande du monde), le fait sur la **Place del Pi**, construite autour d'un pin, d'où son nom. Au Xe siècle, ce quartier était cité dans les documents comme un nouveau quartier situé hors des murs de la ville. Les samedis et les dimanches, des peintres viennent ici exposer et vendre leurs oeuvres.

Église de Santa Maria del Pi..

Rue Petritxol.

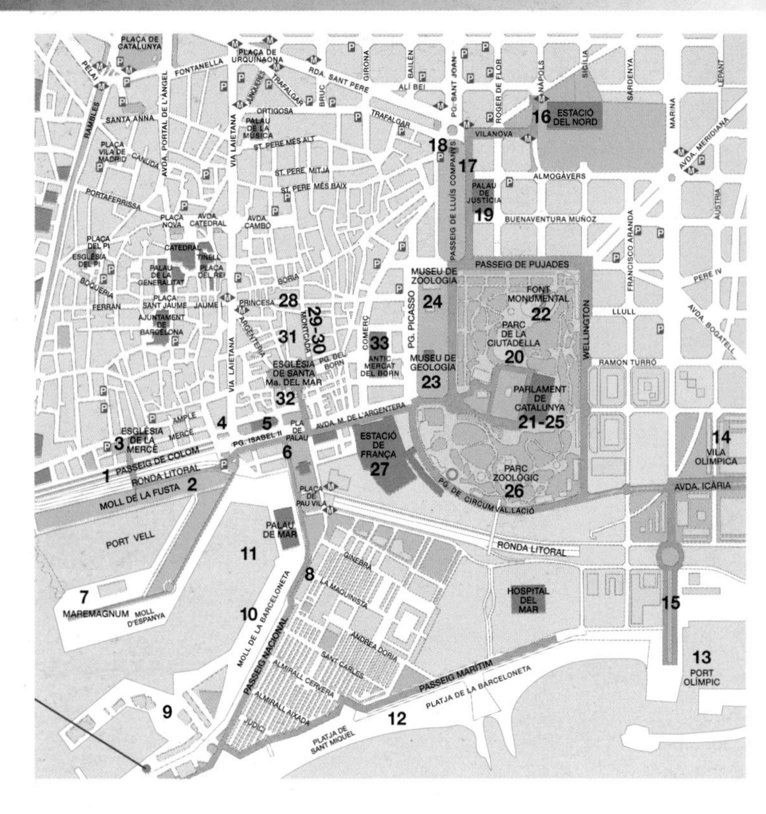

ITINERAIRE 3: (***) (M et AM)

Cet itinéraire commence au centre de la façade maritime de Barcelone, point de départ obligatoire si on veut découvrir, peu à peu, la face cachée d'une ville qui a vécu, durant des années, en tournant le dos à la mer.

1.- Passeig de Colom (*). 2.- Moll de la Fusta (*). 3.- Basilique de la Mercè (***). 4.- Correus (**). 5.- Llotja (**). 6.- Porxos d'en Xifré (**). 7.- Maremàgnum (**). 8.- Barceloneta (**). 9.- Port Vell (*). 10.- Marina del Port Vell (*). 11.- Moll Nou (*). 12.- Plages (**). 13.- Port Olympique (***). 14.- Ville Olympique (*). 15.- Rue Marina (*). 16.- Gare du Nord (*). 17.- Passeig de Lluís Companys (*). 18.- Arc de Triomphe (***). 19.- Palais de Justice (**). 20.- Parc de la Ciutadella (**). 21.- Parlement (*). 22.- Fontaine de la Cascade (**). 23.- Musée de Géologie(*). 24.- Musée de Zoologie (*). 25.-Musée d'Art moderne (**). 26.- Zoo (***). 27.- Gare de France (**). 28.- Rue Princesa (**). 29.- Rue Montcada (***). 30.- Musée Picasso (***). 31.- Musée du Textile et du Vêtement (***). 32.- Eglise de Santa Maria del Mar (***). 33.- Passeig del Born et marché del Born (*).

Passeig de Colom et Moll de la Fusta.

Nous nous trouvons aux pieds du monument à Colomb (commenté dans notre premier itinéraire). Nous dirigerons nos pas du **Passeig de Colom (1)** vers un endroit qui est devenu dernièrement un espace ouvert sur la mer et qui représente la première transformation urbaine dans le grand processus de récupération d'une façade maritime pour la ville. Nous parlons bien sûr du Moll de Bosch i Alsina connu par tous sous le nom de **Moll de la Fusta (2)**. Autrefois, cet espace était occupé par la muraille de la mer, construite au XVIe siècle et qui fut abattue en 1881. La mission première de ce quai fut de recevoir et stocker du bois. L'activité portuaire et l'augmentation de la circulation enfermèrent de plus en plus cette zone. C'est pour pouvoir la récupérer pour les citadins que l'on prit la décision

Sculpture " Visage de Barcelone ", sur le Moll de la Fusta.

Basilique de la Mercè.

Image de la Vierge de la Mercè.

de la transformer radicalement et d'en faire un lieu de promenade alors que sa partie postérieure deviendrait une voie rapide pour les camions et les voitures. Les travaux, dirigés par l'architecte Solà Morales, s'achevèrent en 1987. De nos jours, le quai est constitué de deux plate-formes : la plate-forme inférieure, en guise de zone de promenade, et la partie supérieure, servant de balcon donnant sur le port au niveau de la Promenade de Colomb, sur laquelle se situait le restaurant " Gambrinus ", couronné d'une gigantesque crevette, œuvre du designer, Javier Mariscal.

Nous irons maintenant vers la **Basilique de la Mercè (3)** située au bout du Moll de la Fusta mais du côté opposé à la mer. Sur la place de même

Bâtiment de la Poste.

nom se dresse la basilique qui appartenait, vers 1835, à un couvent de l'Ordre de la Merci. Il protège aujourd'hui la patronne de Barcelone, la Vierge de la Mercè. Une belle statue gothique recouverte de tissu d'or, réalisée vers 1361 par Pere Moragues. L'église, d'une seule nef, avec 8 chapelles latérales et un transept ouvert avec une coupole, a de belles décorations de marbre et de stuc de style fin du baroque. La coupole sert de socle à une statue de la vierge de la Mercè, réplique de l'originale qui fut détruite durant la Guerre Civile espagnole. Lorsque les sportifs de la ville obtiennent un triomphe important, ils viennent offrir leurs trophées à la vierge, dans cette basilique.
Depuis la Plaça de la Mercè nous suivrons la rue de même nom qui nous conduira à la Plaça de Antonio Lòpez sur laquelle nous pourrons contempler l'édifice de **Correus (la poste) (4)**. Il s'agit d'une construction réalisée en 1927, d'un aspect monumental, de trois étages dont deux se communiquent à travers un grand espace central illuminé par une coupole de verre. Sur la façade, de style classique avec des réminiscences baroques, remarquons les deux grandes tours situées aux extrêmes. Celle qui se trouve à l'angle de la Via Laietana est plus haute afin de souligner l'importance de cette voie qui relie le port à l'"Eixample". L'extérieur est recouvert de sculptures allégoriques et décoratives.
Tout près de cet édifice, sur le Pla de Palau, se trouve la **Llotja (5)**. Dans la

série de bourses médiévales qui fonctionnèrent comme magasins de stockage et centre de contrats commerciaux, celle de Barcelone joua un rôle important. Le roi Pere III "el Cerimoniós" fit construire, en 1380, le premier siège de cette bourse. Elle fut détruite durant la Guerre de Succession espagnole. A partir de ce moment, la Llotja fut hors de service jusqu'en 1771. La Junte de Commerce la récupéra alors pour son propre service. Entre 1915 et 1994, elle accueillait la Bourse de Barcelone, et est aujourd'hui le siège de l'Académie des Beaux Arts de Sant Jordi. Rectangulaire, ses trois nefs sont séparées par deux files de triples arcades en plein cintre qui soutiennent un plafond en bois polychrome. Un portique aux colonnes toscanes décore la façade qui se structure dans un style néoclassique. Sur le perron intérieur, des statues allégoriques en marbre exaltent le commerce et l'industrie. L'ensemble fut déclaré Monument historico-artistique d'intérêt national en 1931.

Tout près de ce monument se dressent les **Porxos d'en Xifré (6)**, situés à l'un des angles du Pla de Palau, face au Passeig d'Isabel II. Il s'agit d'un ensemble de maisons dont la base est formée par 21 porches sur lesquels se dressent, en harmonieuse succession, les balcons des trois étages. Les statues qui la décorent représentent des personnages ayant une relation avec la découverte d'Amérique et des allégories sur le commerce d'outre-mer. L'ensemble doit son nom à Josep Xifré i Casas, gros commerçant de Barcelone qui émigra en Amérique à la recherche de la fortune. A son retour, il acheta un grand terrain devant la bourse. Josep Boixareu et Francesc Vila y construisirent, au milieu du siècle dernier, ce bloc de maisons, énorme pour l'époque. Xifré se réserva un de ces blocs. Els Porxos abritent le fameux restaurant **Les Set Portes**, un local d'une per-

Porxos d'en Xifré.

Maremàgnum.

sonnalité accusée où l'on peut déguster les mets typiques de la gastronomie catalane.
Depuis là, ou bien depuis la Pasarela de Mar située en face du Monument à Colomb, on peut accéder au **Maremàgnum (7)**, un grand centre de loisirs qui, depuis son inauguration en 1996, s'est converti en l'un des endroits préférés des barcelonais et des visiteurs. Il s'étend sur 55 hectares et comprend de nombreux restaurants, bars, terrasses, salles de jeux et boutiques diverses, en plus de 8 salles de cinéma. Le Maremàgnum propose également l'**Aquarium de Barcelone**, le plus grand et le plus important aquarium au monde sur le thème de la Méditerranée (le passage dans le tunnel transparent de 80 mètres sous l'immense aquarium circulaire, et l'observation attentive de plus de 300

Aquarium de Barcelone.

espèces différentes, y compris des requins, sont inoubliables), et l'**IMAX**, une salle de cinéma qui combine trois systèmes de projection de grand format : l'Imax, avec un écran plat d'une hauteur de six étages, l'Omnimax, avec une coupole de 900 mètres carrés, et le 3D ou projection en trois dimensions. En suivant le bord de la mer, nous arriverons au populaire **quartier de la Barceloneta (8)**, quartier maritime par excellence et un des rares quartiers de la ville totalement imprégné d'odeur de mer. Il fut conçu militaire au XVIIIe siècle afin de loger la population déplacée par les Bourbon pour construire la Citadelle. Le quartier fut structuré en rues rectilignes, tracées au cordeau et d'un contrôle facile. La Barceloneta fut profondément touchée par les bombardements de la Guerre Civile et les rues d'aujourd'hui sont souvent la conséquence de la démolition des édifices touchés à cette époque-là. Le quartier est une grande concentration de restaurants dont la spécialité est le poisson.

Cinéma IMAX.

Inséparable de ce quartier maritime, le **Port Vell (9)**, soumis à un profond processus de remodelage, a transformé le paysage. Les quais et les vieux hangars ont été modifiés et constituent un nouvel ensemble aux fonctions différentes. Un bel exemple: le remaniement des vieux Magatzems Generals del Comerç,

Palau de Mar.

Marina Port Vell.

créés entre 1880 et 1890 afin de faciliter les travaux d'arrimage et de stockage. Actuellement, ces magasins sont devenus **Palau de Mar,** un bâtiment de 30 000 mètres carrés qui comprend des bureaux, le **Musée d'Histoire de Catalogne** et de nombreux restaurants.

A côté de ces anciens magasins, sur le Passeig de Don Joan de Borbó, se trouve le Moll de la Barceloneta. Tout au long de ce quai se trouve la **Marina Port Vell (10)** qui comprend les anciens chantiers navals du commerce et de l'industrie. La zone a été

Tour de Sant Sebastià, et Tour de l'Horloge.

modifiée afin d'obtenir un espace de services intégral pour les embarcations de plaisance. La nouvelle marine peut recevoir plus de 400 embarcations. Les yachts se trouvent dans la zone du Moll dels Pescadors alors que les anciens quais des Dipòsits et de la Barceloneta accueillent les bateaux de 25 mètres de longueur. Le groupe promoteur de cette marine a prévu une zone de service au **Moll Nou (11)**, formée par l'union des anciennes jetées destinées à la réparation de bateaux. La zone de service est présidée par la **Tour de Sant Sebastià** et les anciens chantiers Vulcano. Le Moll Nou a favorisé la construction de la cale sèche la plus grande de la Méditerranée, avec une esplanade de près de 12 000 mètres carrés équipés avec la dernière technologie. Avec cette marine et sa zone de services, le Port de Barcelone apparaît sur les routes de la mer comme un des meilleurs complexes de la Méditerranée. Au bout de la promenade se dresse la **Tour de l'Horloge**, de 1772, qui servait pour signaler l'heure de sortie des bateaux et jouait aussi le rôle de phare.

Jusqu'en 1981, Barcelone ne pouvait offrir que 6 hectares de plage sur la Barceloneta. Toute la côte du Levant était bouchée par des usines, des voies ferrées et des décombres. La régénération et la création des **plages de Sant Sebastià et Barceloneta (12)** (auxquelles se joignent celles qui s'étendent au nord du port de plaisance: **Nova Icària, Bogatell** et **Mar Bella**) s'est réalisée avec la construction de six jetées et l'installation de jeux d'eaux. On a récupéré en tout 18 hectares de plages, 5 kilomètres de façade maritime, de la Barceloneta au Besòs.

Plage de Bogatell.

Avenue d'Icària, dans la Ville Olympique.

Port Olympique.

La construction du **Port Olympique (13)** a été une autre des réussites de cet ambitieux projet. Il se trouve au village olympique. Il a été créé à l'occasion des Jeux Olympiques de 92. C'est un port moderne qui accueille des bateaux de plaisance et qui est aussi un lieu de rendez-vous des promeneurs de la ville. Avec ses 8 hectares protégées du vent, le port a 743 amarres. Il fut dessiné par une équipe dirigée par Ramón de Clascà. Il fallait construire une jetée basse qui ne soit pas une barrière visuelle mais qui soit suffisamment haute pour empêcher les vagues de pénétrer à l'intérieur du port. Le problème fut résolu par un dispositif en demi cercle, échelonné qui freine la force de la tempête et sert de gradin les jours de beau temps.

Le **Ville Olympique (14)** se trouve sur l'ancienne zone industrielle du Poble Nou, un des secteurs les plus dégradés de la ville. Après avoir démoli les usines qui existaient encore à la fin du XXe siècle, on construisit une petite ville complètement nouvelle qui prétend être un modèle urbain. La construction s'appuya sur un projet des architectes Mackay, Martorell, Bohigas et Puigdomènech présenté en 1985. L'aire résidentielle occupe 50 hectares de terrain sur lesquelles on a construit près de 2 000 logements. L'ensemble a été conçu a partir de la structure du vieux quartier barcelonais d'Ildefons Cerdà, avec des rues rectilignes et de grands pâtés de maisons qui conservent un espace intérieur jardiné et une zone de services. Le village possède pratiquement la moitié de la zone verte de Barcelone (plus de 50 hectares de parcs, à l'exception de ceux de Montjuïc et de Collserola). Une promenade de 25 mètres de large suit le bord de l'eau sur plus de 2 kilomètres. C'est l'axe du nouveau **Parc del Litoral**, structuré en 3 grandes zones: les parcs des Cascades, Port et Icària, des zones vertes à la végétation variée et des meubles de design qui s'adaptent aux structures urbaines marquées par la Ronda del Litoral.

Parmi les grands travaux d'infrastructure réalisés à Barcelone à l'occasion des Jeux olympiques de 1992, il existe deux nouvelles constructions qui ont modifié la physionomie de la ville: il s'agit des deux gratte-ciel du village olympique, l'**Hôtel Arts** et la **Tour Mapfre**, les deux immeubles les plus hauts d'Espagne (150 mètres). Dans la ville, il n'y a que la Tour de Collserola qui soit plus haute. L'hôtel est un édifice construit en suivant un système de construction de pointe. Dessiné par l'architecte nord-américain Bruce Graham, c'est un énorme cube de verre enveloppé dans une structure métallique blanche qui lui donne l'aspect d'un grand jeu de Meccano. Il a 44 étages, 455 chambres et 29 appartements, un parking souterrain et 10 salles de réunions qui en font un grand centre international de conférences. Les alentours de l'hôtel sont occupés par une zone commerciale, les locaux du **Grand Casino de Barcelone** et par un vaste espace vert sur lequel s'érige l'original **poisson** aux reflets dorés ; projeté par Frank Gehry, les dimensions de cette structure géante lui permettent d'être vue de n'importe quel endroit de la Promenade Maritime de Barcelone.

Par ailleurs, la **Tour Mapfre**, oeuvre des architectes Iñigo Ortiz et Enrique León, est un immeuble de bureaux avec des façades extérieures recouvertes d'acier inoxydable et de verre. Les carreaux sont légèrement inclinés vers le sol afin d'éviter la sensation de vertige et permettre, depuis l'intérieur, une meilleure vue de la ville. Le gratte-ciel a des ascenseurs de deux étages, préparés pour absorber la grande demande de transport intérieur des heures pointes. Ce système est le premier de ce genre utilisé en Europe.

Entre les deux gratte-ciel se trouve une nouvelle porte de Barcelone, celui qui se trouve au **rue Marina (15)**, une rue qui s'achevait avant devant la présence de voies ferrées et qui arrive aujourd'hui jusqu'au port. C'est actuellement un axe fondamental de communication entre le ville olympique et le centre de la ville.

Cette voie récemment construite nous conduira à la **Gare du Nord (16)**, située

Hôtel Arts et Tour Mapfre.

Gare du Nord.

Près de la Gare du Nord et à côté de la place de les Glòries Catalanes, nous trouvons le Théâtre National de la Catalogne et l'Auditorium de Barcelone, deux œuvres récentes de Ricardo Bofill et Rafael Moneo, respectivement.

entre les rues Napòls et Sardenya. Elle s'est transformée, tout en conservant son aspect du début du siècle, en gare routière de presque toutes les lignes régulières d'autocars. Elle conserve, de sa structure originale, le grand vestibule et la façade avec une grande verrière demi sphérique. Du côté sud, une large étendue de gazon avec plusieurs sculptures de l'artiste américaine Beverly Pepper. Ce parc fut une réalisation des architectes catalans Carme Fiol et Andreu Arriola.
A partir de cette gare, l'Avenue de Vilanova nous conduira au bout du Passeig de Sant Joan où se dresse, avant-chambre du **Passeig de Lluís Companys (17)**, l'**Arc de Triomphe (18)**. Oeuvre de l'architecte Josep Vilaseca i Casanovas, il fut construit en 1888 afin de souligner l'importance de

la porte d'entrée à l'enceinte de l'Exposition Universelle. Construit en brique nue, avec une frise sur la partie supérieure, ses formes sont celles d'un courant culturel qui voulait faire renaître les styles mudéjar et mozarabe. Les éléments utilisés pour sa construction sont, outre la brique, la céramique vitrifiée, la pierre et le fer. Sur les reliefs qui décorent les façades, plusieurs frises allégoriques de l'industrie, le commerce, l'agriculture, les arts et les sciences furent sculptées. Un écusson royal couronne l'ensemble de la façade principale et, sous celui-ci, celui de Barcelone qui sert d'union à un groupe d'emblèmes des provinces espagnoles.

Nous trouverons, sur le Passeig de Lluís Companys, un autre édifice monumental: le **Palais de Justice (19)**, situé à gauche de l'arc de triomphe et qui fut construit entre 1887 et 1907. Bien qu'il appartienne presque totalement à l'époque du développement "moderniste", ses réalisateurs, Josep Domènech et Enric Sagnier s'ajustèrent à une école éclectique. L'édifice est formé par deux corps rectangulaires avec deux cours chacun, séparés par un corps central dans lequel se trouvent les accès et la Salle de réunion plénière de l'Audience. Les angles des latéraux sont couronnés par 8 tours spectaculaires achevées par des coupoles décorées par les écussons des autres provinces catalanes. A l'intérieur de l'édifice, nous pourrons admirer un impressionnant escalier de marbre qui conduit à la salle des "pas perdus".

Au bout de la promenade, nous apercevons le **Parc de la Ciutadella (20)**,

Arc de Triomphe.

Cascade du Parc de la Ciutadella.

Vue aérienne du Parc de la Ciutadella.

la seconde zone verte de la ville. Elle fut créée à partir de 1871 sur les terrains occupés par les armées de Philippe V. Elle servait aussi de prison. Après la démolition de la citadelle, l'urbanisation du parc commença. Le premier projet était de Josep Fontserè. En 1888 on y organisa l'Exposition Internationale. L'ensemble d'allées et de jardins qui forment le parc se rejoignent tous au centre, sur l'ancienne place d'Armes présidée par un étang ovale sur lequel s'appuie le "Desconsol" (Désolation), la plus célèbre des statues de Josep Llimona, devant le **Parlement de la Catalogne (21)**. Sur un côté du parc, le lac aux côtés duquel on peut contempler une esplanade avec un kiosque qui nous permettra de nous rapprocher du chef d'oeuvre du parc: la **Fontaine de la Cascade (22)**. Projetée par Fontserè en collaboration avec Gaudí, c'est un ensemble architectural et sculptural de style français. A l'intérieur du parc nous pourrons visiter plusieurs musées: le **Musée de Géologie (23)** (le plus ancien de la ville, dit aussi de Martorell), le **Musée de Zoologie (24)** (installé dans ce qui fut le café-restaurant de l'Exposition) et le **musée d'Art Moderne (25)** (situé dans l'édifice central de l'ancienne

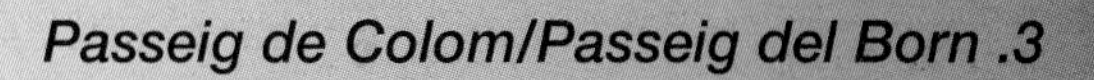

" Désolation ", œuvre de Josep Llimona datant de 1903, et le siège du Parlement de la Catalogne.

Musée de Zoologie et Serre d'hiver.

« La Dame au Parapluie », dans les jardins du Parc de la Ciutadella.

place d'armes qu'il partage avec le Parlement catalan).
Les autres édifices remarquables du parc sont l'**Umbracle** (serre d'été, œuvre de Josep Fontseré i Mestres en fer et en bois, construite entre 1883 et 1885) et l'**Hivernacle** (serre d'hiver, conçue par Josep Amargós et construite entre 1883 et 1887), toutes deux ayant été récemment restaurées.
Et enfin, le **Zoo (26)**. Il mérite bien une visite tranquille. Il fut inauguré en 1894 et il est considéré parmi les meilleurs d'Europe. La grande étoile du Zoo est le gorille albinos Floquet de Neu (Petit flocon de neige), le seul primate albinos de la planète.
En sortant du Parc de la Ciutadella nous prendrons l'Avenue Marquès d'Argentera afin d'arriver à la **Gare de France (27)**. Sa construction s'acheva en 1930, sur une ancienne gare qui était devenue insuffisante devant l'essor des voyages en chemin de fer.

" Floquet de Neu " (Petit flocon de Neige), gorille albinos du Zoo de Barcelone.

Gare de France.

La gare est formée par deux grandes nefs d'arcs métalliques de plus de 30 mètres de hauteur et un impressionnant vestibule d'un style classique grandiloquent qui en firent, à son époque, la gare la plus grande d'Europe. La décoration du vestibule, réalisée par Raimón Duràn et Salvador Soteras, reçut en 1930 un prix de la mairie de la ville.

Laissons derrière nous ce cadre monumental et pénétrons dans les ruelles qui nous mèneront au **quartier de la Ribera** où nous pourrons nous extasier devant le plus beau joyau du gothique catalan. Nous prendrons donc, depuis le Passeig de Picasso, la pittoresque **rue Princesa (28)**, jusqu'à l'angle de la **rue Montcada (29)**. Cette rue accueillante remonte au XIIe siècle, lorsque les classes dominantes voulurent relier le vieux quartier à la zone maritime. La rue fut centre de la vie seigneuriale barcelonaise du XIVe au XVIIIe siècle. Elle est bordée de beaux petits palais. La rue Montcada est donc aujourd'hui le centre de l'architecture civile médiévale d'un intérêt et une qualité sans égal dans tout Barcelo-

Rue Montcada.

" Les Ménines de Velázquez ", de Pablo R. Picasso. Musée Picasso.

Entrée du Musée Picasso.

ne. Le **Musée Picasso (30)**, très complet, occupe les anciens palais de Berenguer d'Aguilar (du XVème siècle), de Baró de Castellet et de Meca, et a été récemment agrandi avec les maisons-palais Mauri et Finestres. Il fut inauguré en 1963 à partir d'un legs que réalisa Jaume Sabater, ami du peintre. Il fut ensuite enrichi par les apports réalisés par Picasso lui-même et des membres de sa famille. Actuellement, le musée possède d'importantes collections de peintures, gravures et céramiques. Parmi les toiles exposées, signalons "Science et charité", "Les désemparés", "Tête" et les 44 interprétations des "Ménines" de Velàzquez.

Dans cette rue il y a aussi d'autres palais tels la **Maison de la Custòdia** (au n°1), du XVIIIe siècle, à côté de la **Chapelle de Marcus**, de style roman, et qui constitue le seul vestige d'une institution de bienfaisance fondé au XIIème siècle ; et le **palais des Marquis de Llió** (au n°16) du

XIVème siècle, qui héberge aujourd'hui le **Musée Textile et du Vêtement (31)**, avec une importante collection de vêtements du IVème au XXème siècles ; le **palais Nadal** (au n°14), siège actuel du **Musée Barbier-Mueller d'Art Précolombien** ; le **palais Dalmases** (au n°20), du XVème siècle, siège de l'association **Òmnium Cultural**, et remarquable pour les sculptures en relief de l'escalier du patio central ; ou la **maison Cervelló-Guidice** (au n°25) du XVème siècle, qui accueille la **Galerie Maeght**.
Au bout de la médiévale rue de Montcada s'ouvre la Place de Santa Maria sur laquelle se dresse l'**église de Santa Maria del Mar (32)**, la plus parfaite des églises gothiques catalanes. Elle fut construite entre 1329 et 1384 sous le règne d'Alphonse IV. Ses premiers constructeurs furent Berenguer de Montagud et Ramón Despuig. Ce fut une époque de grandes conquêtes maritimes coloniales et l'église devint le symbole de la force de la nouvelle aristocratie marchande, ce qui lui

Chapelle de Marcus.

Patio du Palais Dalmases.

Façade et intérieur (page suivante) de Santa Maria del Mar.

valut le surnom de “cathédrale de la mer”. Elle a une grande nef centrale et deux bas-côtés séparés uniquement par de sveltes colonnes octogonales. La nef centrale est divisée en quatre travées carrées et les nefs latérales en travées de demis carrés. Les contreforts des murs des côtés accueillent de petites chapelles, trois par travée. Au second niveau et jusqu'à la hauteur des nefs, les contreforts sont situés à l'extérieur. Le déambulatoire de l'abside est bordé par plusieurs chapelles radiales.

La façade principale est encadrée par de gracieuses tours octogonales et centrée par un grand portail. Sur le tympan, la statue du Sauveur entre la Vierge et saint Jean. Cette façade fut construite dans son ensemble durant la première partie du XIVe siècle, mais un tremblement de terre détruisit la rosace originale en 1428. La grande rosace actuelle, de style gothique flamboyant, date du XVe siècle. La construction des tours octogonales latérales de gauche et de droite s'acheva en 1496 et 1902 respectivement. Le presbytère qui se trouve sur la crypte fut dressé après la Guerre Civile. L'église est, depuis 1931, Monument historico-artistique d'intérêt national.

En face, le **Passeig del Born et son ancien marché (33)** construit en 1874 sur des terrains qui avaient été, au XIVe siècle, témoins d'événements locaux. Actuellement, le marché accueille des manifestations populaires.

Promenade et ancien Marché du Born.

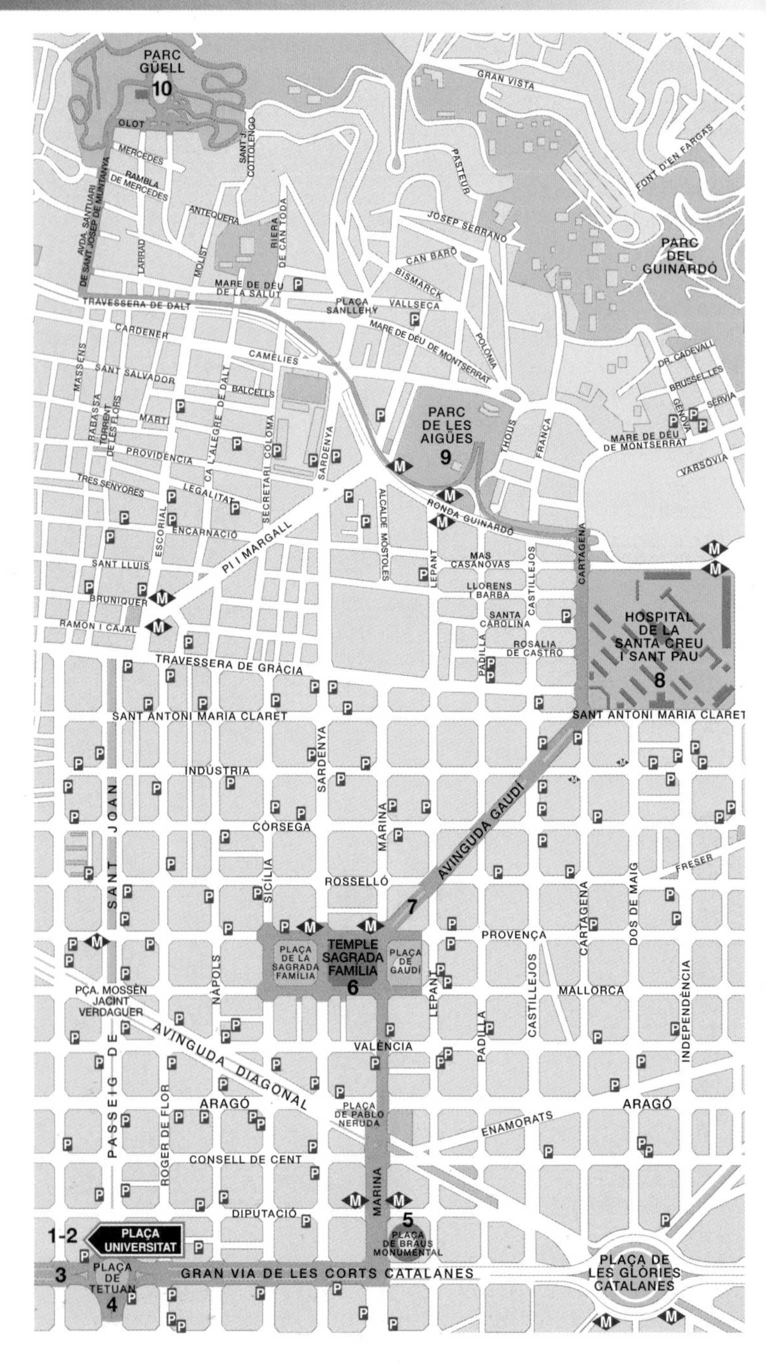
PARC GÜELL
10
GRAN VISTA
PARC DEL GUINARDÓ
PARC DE LES AIGÜES
9
HOSPITAL DE LA SANTA CREU I SANT PAU
8
AVINGUDA GAUDÍ
7
TEMPLE SAGRADA FAMÍLIA
6
PLAÇA DE LA SAGRADA FAMÍLIA
PLAÇA DE GAUDÍ
AVINGUDA DIAGONAL
PLAÇA DE BRAUS MONUMENTAL
5
1-2
PLAÇA UNIVERSITAT
3
PLAÇA DE TETUAN
4
GRAN VIA DE LES CORTS CATALANES
PLAÇA DE LES GLÒRIES CATALANES
TRAVESSERA DE GRÀCIA
SANT ANTONI MARIA CLARET
PASSEIG DE SANT JOAN
PI I MARGALL
RONDA GUINARDÓ
PROVENÇA
MALLORCA
VALÈNCIA
ARAGÓ
CONSELL DE CENT
DIPUTACIÓ
MARINA
CARTAGENA
INDÚSTRIA
CÒRSEGA
ROSSELLÓ
PLAÇA DE PABLO NERUDA
PÇA. MOSSÈN JACINT VERDAGUER
ENAMORATS
INDEPENDÈNCIA
DOS DE MAIG
LEPANT
PADILLA
CASTILLEJOS
SICÍLIA
NÀPOLS
ROGER DE FLOR
SARDENYA
TRAVESSERA DE DALT

ITINERAIRE 4: (**) (M et AM)

Notre quatrième itinéraire commence à la Place de la Universitat, très près de celle de Catalunya, au carrefour avec la Ronda de la Universitat et les rues centrales de Bergara et Pelai. Notre parcours nous conduira du centre de la ville à l'une des collines qui l'encadrent, par un trajet qui nous découvrira quelques-uns des joyaux les plus précieux du "modernisme" catalan.

1.- Place de la Universitat (*) 2.- Université (**) 3.- Gran Via de les Corts Catalanes (*) 4.- Place de Tetuan (*) 5.- Arènes La Monumental (**) 6.-Sagrada Familia (***) 7.- Avenue de Gaudí (*) 8.- Hôpital de la Santa Creu i Sant Pau (***) 9.- Parc et Tour de Les Aigües (**) 10.- Parc Güell (***)

La **Place de la Universitat (1)**, point de départ de notre promenade, doit son nom à l'**Université (2)** qui s'y dresse, construction qui date de 1868. Son créateur, l'architecte Elíes Rogent s'inspira des tendances du roman catalan. La bâtisse, rectangulaire, mesure 136 mètres de long sur 83 de large. La façade se structure autour du corps central, plus haut que le reste de l'édifice, et de deux tours carrées situées aux angles, une portant une horloge, l'autre ayant un clocher. A l'intérieur, nous pouvons admirer les deux cloîtres de deux étages, de structure jumelle. Un escalier principal nous conduira du vestibule au rectorat, à la salle de réceptions (une des plus belles pièces de l'ensemble avec sa décoration de style mudéjar), à la chapelle, au grand amphithéâtre et à la bibliothèque qui dispose de plus de 200.000 volumes ainsi

Place de la Universitat et Bâtiment de l'Université de Barcelone.

Maisons modernistes sur la Gran Via : Maison Golferichs (Gran Via/Viladomat) et ancienne Maison de Lactancia (Gran Via/Calàbria).

Cinéma Coliseum, sur la Gran Via, près de la Rambla de Catalunya.

que des fonds médiévaux et renaissance.

En 1717, Philippe V priva Barcelone de son université. La punition fut la conséquence du refus politique que le peuple catalan lui avait manifesté au cours de la Guerre de Succession. A partir de cette année-là, le seul centre de hautes études de toute la Catalogne fut celui de Cervera. En 1845, l'université de Barcelone fut la première et la seule à être rétablie de toute la Principauté. L'édifice fut déclaré Monument historico-artistique d'intérêt national en 1970.

Derrière ce bâtiment se trouve le **Séminaire Conciliaire,** oeuvre d'Elies Rogent, de 1887, qui est actuellement le siège de la Faculté de Théologie de Catalogne et de l'Institut Catholique d'Études Sociales de Barcelone (ICESB).

Poursuivons notre route. La **Gran Via de les Corts Catalanes (3)** nous attend. C'est une avenue avec chaussée centrale et deux bas-côtés qui traverse Barcelone du sud-ouest au nord-est et l'une des plus longues de la ville. Entre le Passeig de Gràcia et la Rambla de Catalunya elle se transforme en une rambla centrale avec jardin. Le cinéma Comèdia, ancien **Palais Marcet**, est un bel exemple des petits palais qui bordaient cette promenade et qui furent aménagés en logements par les mêmes architectes "modernistes" qui les avaient construits.

Sans abandonner la Gran Via, en prenant la direction Girona, nous arriverons à la **Place de Tetuan (4)**, petit jardin dans lequel nous pourrons avoir un aperçu de ce qu'était la sculpture du "modernisme" catalan: le **monument dédié au Docteur Robert** (1842-1902), illustre médecin, fondateur de l'Hôpital de Sant Pau, maire de la ville et président de la Lliga

Hôtel Husa Palace (ancien Ritz), sur la Gran Via, au coin de la rue Roger de Llúria.

Place de Tetuan.

Arènes " La Monumental ".

Regionalista. Dressé sur un bassin de pierre aux lignes ondulantes, l'ensemble sculptural est en marbre et en bronze, avec huit statues allégoriques de l'activité de l'illustre médecin. Dans la partie postérieure, un groupe de personnages de pierre symbolise une visite médicale. La rénovation actuelle de cette petite place fut totale. La surface qui entoure le bassin fut adaptée afin de pouvoir offrir une nouvelle perspective. On y construisit une plate-forme en pierre qui s'élève à un mètre au-dessus du niveau de la place. Une fontaine sculptée par Frederic Marès rend hommage à la sardane dans un petit jardin, près du monument.

Continuons notre route. Nous arriverons au carrefour avec la rue de la Marina. Ce carrefour forme une place sur laquelle se dressent les **arènes La Monumental (5)**, uniques arènes de style "moderniste" du monde et seule en fonctionnement à Barcelone. C'est une oeuvre des architectes Ignasi Morell et Domènech Sugranyes. Remarquons les tours à coupole ovale recouvertes de céramique blanche et bleue formant des arabesques. Dans les arènes se trouve le **musée Taurí** qui conserve des têtes disséquées de taureaux célèbres, des affiches de corridas et une belle collection de costumes de matadors.

Quittons la Gran Via et situons-nous à la rue de la Marina. Dans cette rue, à gauche, nous découvrirons l'imposante **Sagrada Familia (6)**, un des monuments les plus représentatifs et emblématiques de la ville. C'est aussi celui qui reçoit le plus de visiteurs. Gaudí conduisit les travaux en 1883,

Temple de la Sagrada Familia : façade de la Nativité.

Antoni Gaudí i Cornet (1852-1926) est considéré comme le plus grand et original représentant du modernisme catalan. Son œuvre la plus célèbre est sans doute le Temple de la Sagrada Familia, projet auquel il prit part en 1883 et œuvre à laquelle il se consacra entièrement de 1914 jusqu'à sa mort, en 1926. Mais Barcelone compte de nombreuses autres œuvres de cet artiste génial : la Maison Vicens (1878-1885), les Pavillons de la Propriété Güell (1884-1887), le Palais Güell (1885-1890), le Collège des Thérésiennes (1888-1889), la Maison Calvet (1898-1900), la Maison Figueras ou Bellesguard (1900-1902), le Parc Güell (1900-1914), la Maison Batlló (1904-1906), la Maison Milà « La Pedrera » (1905-1910), sans compter certaines œuvres mineures telles que les réverbères de la Place Royale.

Relief de Josep Llimona sur la Sagrada Familia, à l'autel de la crypte.

sur un projet préalable commencé un an avant par Francesc de Paula Villar. La construction de l'église se doit à une initiative de l'"Associació Espiritual de Devots de Sant Josep", fondée par Josep María Bocabella qui voulait ainsi dédier une église à l'exaltation de saint Joseph et de la Famille Sainte, symboles de la stabilité et de l'ordre familial dans la société. (Sa construction actuelle dépend des dons reçus et des quêtes annuelles).

Le célèbre architecte voulut en faire la grande cathédrale moderne de la ville et, dans ce but, il dessina un complexe système de symboles de la foi chrétienne représentés à travers cet ensemble artistique. Il agrandit les dimensions prévues et dessina une église à cinq nefs avec transept et abside et un déambulatoire extérieur. La construction devait aussi avoir 18 grandes tours paraboliques qui symboliseraient les 12 apôtres, les 4 évangélistes, la Vierge et Jésus-Christ (cette tour

Aiguilles de l'abside.

La première intervention de Gaudí dans le Temple de la Sagrada Familia fut de terminer la crypte commencée par Villar.

Façade de la Naissance : façade centrale ou de la Charité.

devait être plus haute que les autres: 170 mètres). La première intervention de Gaudí consista à achever la crypte commencée par Villar. Postérieurement, entre 1884 et 1893, il construisit l'abside en incorporant une décoration naturaliste. L'artiste avait prévu la construction de trois façades ou portiques formés, chacun, par un groupe de quatre tours (les 12 dédiées aux apôtres) bien que sa mort accidentelle prématurée en 1926 (il fut écrasé par un tramway) ne lui permit d'en construire qu'une, celle du Nativité qui donne

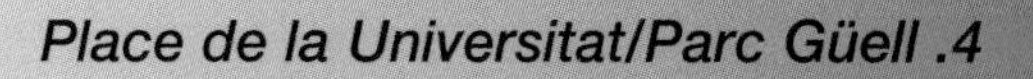

Vue des écoles avec, au fond, les tours des clochers.

Façade de la Passion.

sur la rue de la Marina, devant la Place de Gaudí. Les autres façades étaient celles de la Passion et de la Mort, vers l'est et celle de la Gloire vers le sud (cette construction est aujourd'hui impossible par manque d'espace). Entre les tours s'ouvrent trois portes dédiées à la Foi, l'Espérance (couronnée par l'anagramme de Marie) et la Charité, avec plusieurs groupes sculpturaux. Ces tours mesurent plus de cent mètres de hauteur et sont couronnées par des mosaïques polychromes. Il s'occupa en même temps de la création des **écoles paroissiales** situées à l'angle sud-ouest de l'église et recouvertes d'éléments paraboloïdes. Les clochers ou aiguilles, légèrement bombés et avec des escaliers intérieurs en colimaçon, sont décorés par une légende gravée qui se répète aussi bien verticalement qu'horizontalement. Les pinacles qui couronnent les tours, conception surréaliste de Gaudí, sont recouverts d'une mosaïque polychrome vitrifiée et surmontés d'une croix spectaculaire.

Après la mort de l'architecte, les travaux se poursuivirent en respectant ses plans et, en 1987, le sculpteur Josep Maria Subirachs en prit la direction. Les détracteurs de cette intervention soutiennent que le monument devait rester inachevé afin de respecter l'oeuvre de Gaudí. D'autre part, les partisans de la poursuite des travaux arguent que l'église, comme toutes les grandes cathédrales médiévales, doit s'achever. Sous les 4 tours de la façade de la Passion (située sur la rue de Sardenya) se trouve le **Musée de la Sagrada Familia** qui raconte l'histoire de sa construction.

Au carrefour des rues Marina et Provença naît l'**Avenue de Gaudí (7)**. Elle fut tracée afin de permettre la pers-

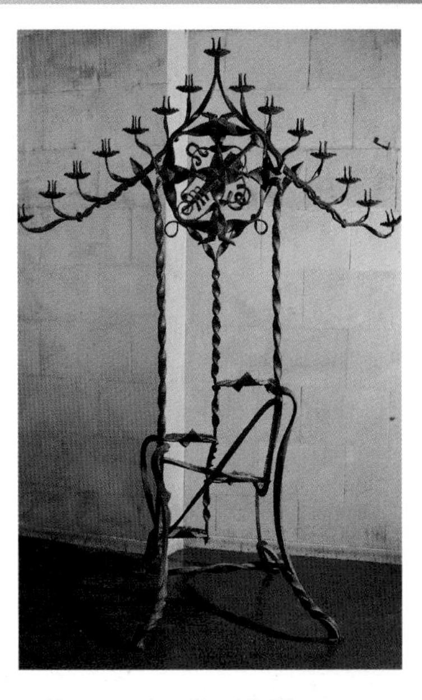

Herse pour les offices de Pâques, œuvre de Gaudí.

Avenue de Gaudí.

Hôpital de la Santa Creu i Sant Pau.

pective sur la Sagrada Familia et l'Hôpital de Sant Pau. Convertie en zone piétonne en 1985 d'après un projet de Màrius Quintana, on construisit sous sa chaussée un parking souterrain et, au-dessus, une promenade centrale en forme de "rambla". Remarquons les réverbères "modernistes" de Pere Falquès qui se trouvaient autrefois au "Cinc D'oros" (carrefour du Passeig de Gràcia-Diagonal).

Au bout de cette avenue se dresse l'un des monuments les plus représentatifs de l'architecture "moderniste" catalane: l'**Hôpital de la Santa Creu i Sant Pau (8)**. Il occupe l'espace équivalent à neuf pâtés de maisons de l'"eixample" barcelonais (145 500 mètres carrés). Sa construction fut possible grâce à l'apport économique d'un banquier catalan résident à Paris qui léga, dans son testament, la somme de quatre millions de pesetas. L'architecte Lluís Domènech i Montaner commença les travaux en 1901. Afin de souligner son désaccord avec le Plan Cerdà, Domènech orienta l'ensemble de l'hôpital en diagonale par rapport au sens du quadrillage de l'"Eixample". Cet architecte projeta la construction de 46 petits pavillons spécialisés qui se relieraient entre eux par des galeries souterraines qui devaient permettre le transport des malades d'un pavillon à l'autre sans avoir besoin de sortir à la surface. L'extérieur quant à lui était conçu comme un grand jardin. Le pavillon central, situé à l'un des angles de l'enceinte signale, avec son horloge, l'entrée principale. Au cours des ans, ce pavillon est devenu l'élément le

plus caractéristique de l'hôpital et son profil identificateur. Cette entrée principale possède un demi souterrain et trois étages, avec un corps principal et deux ailes formant un angle de 90 degrés. Les pavillons d'infirmerie suivent pratiquement le même modèle. Ils sont formés par une salle avec huit arcs en lancette reliée d'un côté avec différentes dépendances et de l'autre avec la zone d'isolement. La décoration de l'hôpital représente surtout des motifs floraux. La pierre, la mosaïque, la brique, la céramique et, en plus petite quantité, le marbre et le fer, sont utilisés à vif, sans couverture. En 1936 le pavillon des tuberculeux fut construit et en 1961, ce fut le tour de l'édifice de sept étages qui abrite la Fondation Puigvert.
La rue de Cartagena, qui borde l'hôpital de Sant Pau, nous mènera à la Ronda del Guinardó, carrefour important de voies rapides de circulation. Si nous prenons cette avenue sur la gauche, nous arriverons au **Parc et Tour de les Aigües (9)**. Il s'agit d'une zone verte qui appartenait autrefois à la Compagnie des Eaux. Cette compagnie y avait installé ses dépôts d'eau. Le parc, assez petit, possède un jardin exubérant. La tour, de style arabe, fut construite en 1890 par le constructeur Enric Figueras. Elle devait tout d'abord servir de logement à un technicien étranger qui avait été embauché par la compagnie, mais elle ne fut finalement jamais habitée. La tour a été restaurée récemment, en 1989.
Nous finirons ce quatrième itinéraire au **Parc Güell (10)**, à 150 mètres d'altitude, sur la colline du Carmelo. On retrouve Eusebi Güell à l'origine de ce projet qu'il fit construire par Gaudí. Il s'agissait de construire une ville-jardin de style

Escalier principal du Parc Güell.

Pavillons d'entrée du Parc Güell.

La Salle dite des Cents Colonnes.

Le dragon du Parc Güell.

Le banc ondulant.

anglais pouvant accueillir une soixantaine de pavillons particuliers. Mais la réalisation ne prospéra pas et finalement deux maisons seulement furent construites. Gaudí en occupa une jusqu'à son déménagement à la Sagrada Família. La fantaisie créative de l'architecte le porta à créer un espace architectural en harmonie parfaite avec la nature. A l'entrée principale du parc se dressent deux pavillons qui concluent le mur d'enceinte. La grille et la porte ne sont pas originales. Elles proviennent du jardin de la maison Vicens (oeuvre de Gaudí). Dès l'entrée nous pouvons voir le double escalier dont les deux volées sont séparées par des jeux d'eau et des sculptures comme celle du dragon multicolore revêtu de mosaïque qui est devenu, malgré sa taille, un des éléments les plus caractéristiques du parc.

Les escaliers mènent à ce qui devait être, d'après le projet initial, le marché de la ville-jardin: la salle des cent colonnes. Quatre-vingt quatre colonnes doriques, légèrement inclinées, soutiennent des coupoles sphériques. Cette salle sert de base à une grande place bordée par une sinueuse banquette anatomique recouverte de céramique vitrifiée qui compose un collage impressionnant. Afin de pouvoir obtenir le dessin anatomique correct du banc, Gaudí fit asseoir un ouvrier nu sur une masse de plâtre et en tira le profil suivant lequel il réalisa ensuite le banc. La grande terrasse circulaire devait recueillir les eaux de pluie et les écouler, à travers les colonnes, vers une grande cuve de 12 000 m^3, située sous la salle des colonnes. Signalons, dans le parc, la **Maison-musée de Gaudí**, qui fut sa résidence de 1906 à 1926. Nous pourrons y admirer quelques exemplaires de meubles dessinés par l'architecte ainsi que quelques objets personnels. L'ensemble du parc fut déclaré Bien culturel du patrimoine mondial par l'UNESCO en 1984.

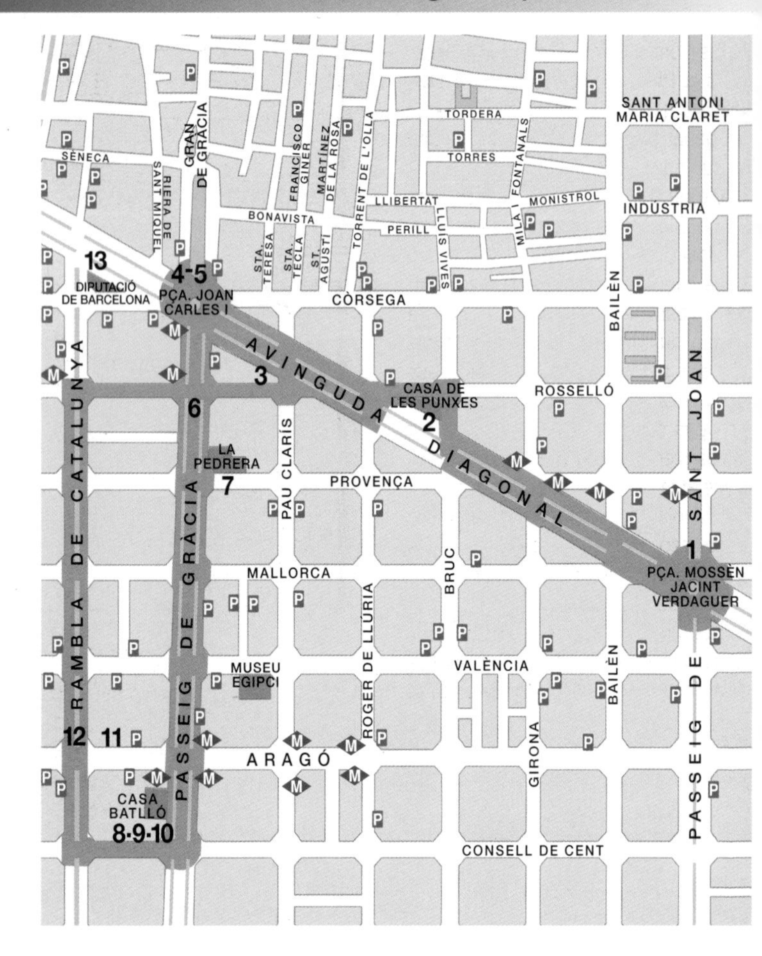

ITINERAIRE 5: (**) (AM)

Le parcours que nous vous proposons maintenant nous conduira vers les constructions les plus représentatives du "modernisme" barcelonais tout en nous découvrant le rythme de vie actuel de la ville dans une de ses zones les plus commerciales.

1.- Place de Mossèn Cinto Verdaguer (*) 2.- Maison des Punxes (***) 3.- Maison Quadras (**) 4.- Place de Joan Carles I (*) 5.- Obélisque (*) 6.- Passeig de Gràcia (**) 7.- La Pedrera (***) 8.- Maison Lleó Morera (***) 9.- Maison Ametller (***) 10.- Maison Batlló (***) 11.- Fondation Antoni Tàpies (**) 12.- Rambla de Catalunya (**) 13.- Diputació de Barcelone (*).

Nous commencerons notre promenade à la **Place de Mossèn Cinto Verdaguer (1)**, carrefour entre l'Avenue Diagonal et le Passeig de Sant Joan et sur laquelle se dresse le monument dédié au poète et qui fut inauguré en 1924. C'est une oeuvre de l'architecte Josep M. Pericas. Il s'agit d'une base circulaire qui soutient une grande colonne sur laquelle se trouve la statue du poète. La base est entourée par un mur de pierres décorées de reliefs et d'un petit jardin. Les groupes sculpturaux qui représentent Verdaguer et la poésie épique, la mystique et la populaire sont de Joan Borrell Nicolau alors que les reliefs de la base, inspirés dans l'"Atlantide" (oeuvre majeure de Verdaguer), sont des frères Miquel et Llúcia Oslé.

Si nous remontons l'Avenue Diagonal nous aurons l'occasion de voir la **Maison des Punxes (2)** qui forme un pâté

Place de Mossèn Cinto Verdaguer.

Maison des Punxes.

Maison Comalat, sur l'avenue Diagonal, à côté de la rue Pau Claris.

Maison Quadras.

de maisons irrégulier entre cette avenue et les rues de Rosselló, Roger de Flor et Bruc. L'édifice doit son nom aux pointes aiguës qui couronnent ses tours et lui donnent un certain air de château nordique. Puig i Cadafalch fut chargé de la construction de ce bloc de 3 maisons entre 1903 et 1905. L'immeuble a 6 façades décorées par des éléments typiques du gothique nordique qui cohabitent avec le plateresque espagnol. La façade du rez de chaussée est recouverte de pierre mais le reste de la construction est en brique nue avec des sculptures en pierre, céramique vitrifiée ou de couleur et fer forgé. Les tours, circulaires et achevées en pointe, se dressent aux six angles et enveloppent harmonieusement l'ensemble. La tour qui se trouve sur la Diagonal est plus haute que les autres et possède une lucarne. Les façades sont décorées de sculptures portant sur des thèmes floraux, héraldiques et féminins. Puig i Cadafalch y manifeste son profond catalanisme à travers cette inscription "Sant Jordi, patron de la Catalogne, rends-nous la liberté". Alfons Juyol intervint dans la partie sculpturale et Manuel Ballarín dans le fer forgé des balcons. L'ensemble de la Maison des Punxes fut déclaré Monument Historico-artistique d'intérêt national en 1976.

En traversant la Diagonal nous verrons, au 373, un édifice original connu sous le nom de **Maison Quadras (3)**. Il s'agit d'un petit palais qui naquit en 1904 à partir de la rénovation d'une maison de rapport qui fut transformée en résidence du baron de Quadras. L'édifice rappelle les palais gothiques barcelonais, avec leur patio central duquel grimpe un escalier qui conduit à l'étage noble. A cet étage, plusieurs

Vue nocturne du Passeig de Gràcia.

salles illuminées par les fenêtres des façades. La décoration de la maison est riche et donne un certain air gothique à quelques recoins. La partie postérieure, qui donne sur la rue de Rosselló, est pratiquement dépourvue d'éléments décoratifs et accueille des logements en loyer. Le palais Quadras est le siège du **Musée de la Musique**. Nous pourrons y contempler une importante collection d'instruments musicaux de différentes époques.
A quelques mètres, sur la Diagonal, se trouve la **Place de Joan Carles I (4)**, encaissée au carrefour traditionnel du "Cinc d'Oros". C'est sous ce nom que l'on connaît populairement ce carrefour entre la Diagonal et le Passeig de Gràcia car il était autrefois illuminé par cinq réverbères "modernistes" qui se trouvent actuellement à l'Avenue Gaudí. Un **Obélisque (5)** représentant " la Victoire ", œuvre de Frederic Marès, se fige au centre de la place, alors qu'à l'une de ses extrémités, s'élève le **Palais Robert**, lieu d'expositions temporaires, dont la partie arrière cache d'agréables jardins.

Palais Robert.

Si nous tournons nos yeux vers le haut de cette place, vers la montagne nous apercevrons le **quartier de Gràcia** qui commence sur la placette de Els Jar-

Maison Fuster, à côté de la petite place des Jardinets de Gràcia.

dinets. Cette petite place est bordée d'immeubles "modernistes" et "noucentistes". Les artères principales de Gràcia sont la rue Gran de Gràcia et la Travessera de Gràcia bien que ses places (Diamant, del Sol, Rius i Taulet, Raspall ou celle de la Virreina) et ses deux marchés, celui de Santa Isabel et celui de la Llibertat soient les plus aimés et fréquentés.

Mais si nous allons, de la Place de Joan Carles I vers la mer, nous prendrons le **Passeig de Gràcia (6)**, véritable "musée" du "modernisme". Ce fut la première saignée tracée entre la vieille ville et le tout jeune quartier de Gràcia. Elle est bordée de maisons et de palais parmi lesquels nous soulignerons, outre la Pedrera, les immeubles de la *Mançana de la Discòrdia* (Pâté de maisons de la discorde) qui doit son nom au contraste entre les styles de ses différentes façades.

C'est ici, sur cette allée, que nous pourrons admirer une des oeuvres majeures d'Antoni Gaudí qui rompit toutes les lois conventionnelles de l'architecture et marqua, de façon décisive, sa personnalité. Nous parlons bien sûr de la **Maison Milà (7)**, populairement connue sous le nom de **La Pedrera.** Elle fut construite entre 1905 et 1910. L'artiste demanda au plâtrier Beltrán de lui construire une maquette qui fut le point de départ du projet initial. Mais ce projet fut soumis à de nombreux changements. Le génie de Gaudí lui fit concevoir, au début, la construction comme s'il s'agissait d'un socle monumental qui devait recevoir la statue de la Vierge du Rosaire qui serait accompagnée et entourée

Maison Milà, " La Pedrera ".

Toit de la Maison Milà.

Détail de la façade de la Maison Milà.

Maison Milà : escalier d'accès à l'étage principal ou entresol.

par les archanges saint Michel et saint Gabriel. Mais les événements de la "Setmana Tràgica" de 1909 provoquèrent une remise en question de cet objectif de la part du propriétaire. La statue ne fut même pas sculptée car on craignait que ce ne fût considéré comme une provocation. La Maison Milà est la conjonction de deux constructions adossées avec accès indépendant, qui se rejoignent et se fondent au cinquième étage autour de deux grandes cours intérieures (une circulaire et l'autre elliptique).

La façade est un reflet excellent de la capacité créative de Gaudí. Les balcons en fer forgé, oeuvres de Josep Maria Jujol, contrastent sur la pierre blanche de Vilafranca del Penedès. Les formes ondulantes de la façade sont formées par des pierres autoportantes qui sont en contact avec le reste de la structure à travers des poutres courbées qui donnent légèreté et mouvement à l'ensemble. A l'intérieur, de petites cours de ventilation et aucun escalier noble. On ne peut se rendre aux appartements qu'à travers l'ascenseur ou l'escalier de service. Mais c'est sur la terrasse que nous trouverons les formes artistiques les plus insolites: cheminées, bouches d'aération recouvertes de marbre blanc, de brique crépie ou de culs de bouteilles ont des formes abstraites qui rappellent les expressions surréalistes. Les entrevous adoptent les formes de la flore et de la faune marines. En 1969, l'édifice fut déclaré Monument historico-artistique d'intérêt national et, en 1984, Bien culturel du patrimoine mondial par l'UNESCO.

En 1986, l'édifice fut restauré par la Fondation de la Caixa de Catalunya, qui y possède son siège, en réhabilitant l'étage noble en salle d'expositions temporaires et les combles en un espace consacré à l'œuvre de Gaudí, **" l'Espai Gaudí "**. Depuis 1999, on peut également visiter l'un des étages de l'immeuble, décoré selon le style de l'époque de la construction du bâtiment.

Au numéro 284 de la rue Valencia, à peu de distance du Passeig de Gràcia, nous trouvons le **Musée Égyptien de Barcelone**, dont la création date de 1993. Il est le gardien de plus de 600 objets appartenant à la Collection Archéologique Égyptienne Jordi Clos, dont la découverte permet au visiteur de se plonger dans l'une des cultures les plus fascinantes. Le musée s'organise autour de différents espaces thématiques : " Le Pharaon ", " Les personnages privés ", " La vie quoti-

Maison Lleó Morera.

dienne ", " Les croyances religieuses et les usages funéraires " et " L'univers religieux ". Parmi les pièces conservées, il faut noter la présence d'une réplique exacte de la pierre de Rosette, document clé pour le déchiffrage de l'écriture hiéroglyphique.

Un peu plus bas du Passeig de Gràcia nous arriverons à la *Mançana de la Discòrdia*. La **Maison Lleó Morera (8)** appartient à cet ensemble. Elle fut construite par Domènech i Montaner en 1905. Elle a un rez de chaussée, quatre étages et une terrasse. Sa façade extérieure est recouverte d'éléments sculpturaux. Elle est couronnée par un petit temple qui fut détruit au cours d'affrontements entre les républicains, en 1937. Il a été restauré par Oscar Tusquets et Carles Díaz durant les années 80. Les vitraux, les mosaïques, le pavé et tous les éléments de décoration en général couvrent un grand éventail du style floral "moderniste". A l'intérieur, nous visiterons le vestibule, les escaliers et l'ascenseur qui nous laissent deviner un genre d'appartements typiques de la bourgeoisie.

Dans ce secteur artistique, l'exemple le plus ancien est représenté par la **Maison Amatller (9)**, construite par Puig i Cadafalch en 1890 et 1900 sur un bâtiment antérieur. Sa façade polychrome est achevée par un échelonnement curieux qui rappelle des éléments architecturaux venus d'ailleurs. Le reste de la façade est néogothique. Le rez de chaussée est décoré par une galerie de six arcs en plein cintre et encadrée par deux portes d'entrée. Le balcon du premier étage est en fer

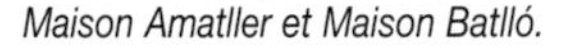
Maison Amatller et Maison Batlló.

Couronnement de la Maison Batlló.

forgé. A l'étage supérieur, les balcons sont en accolade et les baies géminées. Au troisième étage, la façade a une longue galerie d'arcs surbaissés semblables à ceux du rez de chaussée. Aux étages supérieurs, les fenêtres prennent la forme d'arcs en accolade indépendants. Le vestibule a des reliefs parmi lesquels nous remarquerons des allégories des beaux-arts et une de saint Georges attaquant le dragon. L'ensemble fut déclaré, en 1976, Monument historico-artistique d'intérêt national.

Et c'est maintenant le tour de la **Maison Batlló (10)**, au 43 du Passeig de Gràcia; la dernière de cet ensemble. L'édifice original fut rénové par Gaudí et commandité par l'industriel Josep Batlló. Elle est facilement identifiable avec ses balcons sculptés de la façade et leurs formes ondulantes que l'on a quelques fois comparé à l'expression d'un mouvement du monde sous-marin. Elle doit sa couleur à la disposition des céramiques et des verres qui ont des nuances singulières. Le toit, très pentu, cache une mansarde et est présidé par une tour circulaire sur laquelle on peut lire l'anagramme de "Jesús, María y José" et une croix de quatre branches. On a prétendu voir sur le faîte ondulant du toit, la représentation du dragon que tua saint Georges. Dans la cage d'escalier, les carrelages et les pierres de céramique vitrifiée changent de couleur et de nuance au fur et à mesure que nous grimpons. Chaque étage, chaque unité a une relation différente avec l'ensemble de la cage d'escalier. La rampe de l'escalier rappel-

Fondation Antoni Tàpies.

le les vertèbres et la queue du dragon. Cet immeuble a aussi été déclaré Monument historico-artistique d'intérêt national en 1969.
Quittons la Maison Batlló et rendons-nous au numéro 225 de la rue d'Aragó (entre la Rambla de Catalunya et le Passeig de Gràcia). Il s'agit d'un important centre d'art moderne installé dans l'édifice de l'ancienne maison d'édition Montaner i Simó; nous parlons bien sûr de la **Fondation Antoni Tàpies (11)**. L'édifice fut réalisé en 1880 par Domènech i Montaner suivant le style "moderniste". Tàpies naquit à Barcelone en 1923. Il abandonna se études de droit afin de pouvoir se donner de plein à ses inclinaisons pictorico-littéraires. Auteur polémique, ses oeuvres ont supposé une rénovation plastique dans les tendances actuelles. Sa peinture s'inspire dans les matériaux et les objets quotidiens. Il a créé des peintures murales d'origine sculpturo-picturale. Cette fondation fut créée par l'artiste lui-même en 1984 (elle fut ouverte au public en 1990) afin de promouvoir l'étude de l'art moderne et accueillir aussi son exposition permanente. Sur la façade nous remarquerons la sculpture métallique qui sert à palier les différences de niveau entre les maisons voisines et la Fondation. L'artiste profita de cette circonstance et créa, en fil de fer, une sculpture intitulée "Núvol i Cadira" (nuage et chaise). L'intérieur est une véritable innovation car l'espace est distribué de façon rationnelle et harmonieuse, suivant de près l'usage original que l'on faisait de l'immeuble.

La **Rambla de Catalunya (12)** se trouve près de la fondation de l'artiste contemporain. C'est le prolongement, vers la montagne, des traditionnelles Ramblas (Itinéraire 1). Durant des dizaines d'années, elles ont été une des artères les plus élégantes et accueillantes de la ville. Tout au long nous y trouverons des maisons de haute couture, des bijouteries et d'autres boutiques. Les bars, les cafétérias et les restaurants ont aussi installé leurs terrasses sur cette allée. Il y a aussi plusieurs salles de cinéma et, en été, on y retrouve un public qui veut profiter de la nuit barcelonaise. Parmi les édifices singuliers de cette avenue, signalons la **Farmàcia J. de Bolós** (au numéro 77), construction "moderniste" ou la **Maison Serra**, siège de la **Diputació de Barcelone (13)**. Cet édifice fut construit entre 1903 et 1908 par Josep Puig i Cadafalch. C'était, à l'origine, un petit palais familial qui disposait d'un jardin adossé dans la partie postérieure. Une tour cylindrique reliait les deux ailes du bâtiment. La construction est un mélange de styles gothique, mudéjar, renaissance et plateresque qui est actuellement adossée à un immeuble récemment construit suivant un style moderne.

Rambla de Catalunya.

Maison Serra.

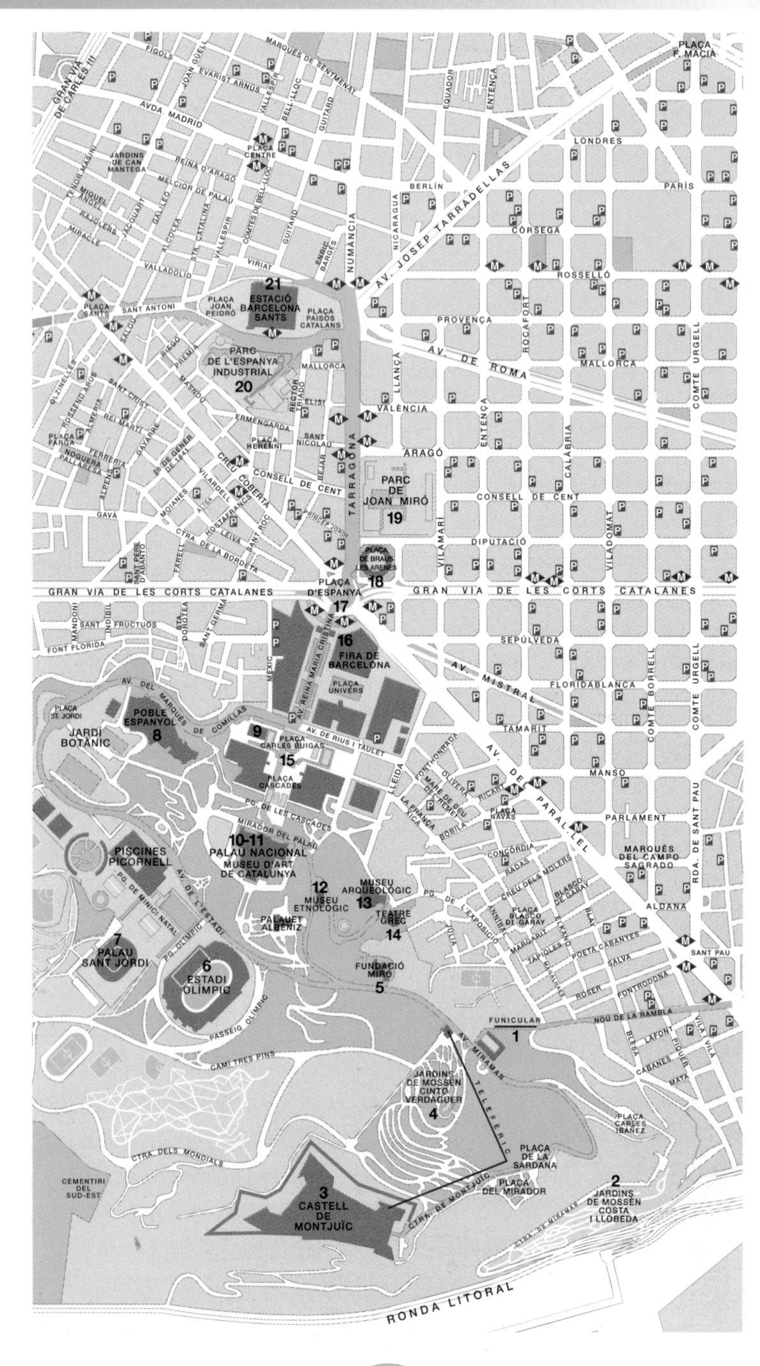
21
ESTACIÓ BARCELONA SANTS
PARC DE L'ESPANYA INDUSTRIAL
20
PARC DE JOAN MIRÓ
19
PLAÇA DE BRAUS LES ARENES
18
PLAÇA D'ESPANYA
17
16
FIRA DE BARCELONA
POBLE ESPANYOL
8
JARDÍ BOTÀNIC
9
15
10-11
PALAU NACIONAL
MUSEU D'ART DE CATALUNYA
PISCINES PICORNELL
12
MUSEU ETNOLÒGIC
13
MUSEU ARQUEOLÒGIC
TEATRE GREC
14
PALAUET ALBÉNIZ
7
PALAU SANT JORDI
6
ESTADI OLÍMPIC
FUNDACIÓ MIRÓ
5
FUNICULAR
1
JARDINS DE MOSSEN CINTO VERDAGUER
4
PLAÇA DE LA SARDANA
PLAÇA DEL MIRADOR
2
JARDINS DE MOSSEN COSTA I LLOBEDA
3
CASTELL DE MONTJUÏC
CEMENTIRI DEL SUD-EST
GRAN VIA DE LES CORTS CATALANES
AV. JOSEP TARRADELLAS
AV. DE ROMA
AV. MISTRAL
AV. DEL PARAL·LEL
TARRAGONA
RONDA LITORAL
PLAÇA F. MACIÀ
PLAÇA DE SANTS
PLAÇA CENTRE
TELEFÈRIC

ITINERAIRE 6: (***) (M et AM)

L'itinéraire suivant nous permettra de nous rendre à un autre des centres actifs de la ville: Montjuïc et ses alentours. Cadre de grandes manifestations culturelles, sportives et commerciales, il possède le charme de la montagne domptée au centre de la ville et près de la mer.

1.- Funiculaire de Montjuïc (*) 2.- Jardins de Costa i Llobera (*) 3.- Château de Montjuïc (***) 4.- Jardins de Jacint Verdaguer (*) 5.- Fondation Joan Miró (***) 6.- Stade olympique (***) 7.- Palais Sant Jordi (***) 8.- Poble Espanyol (**) 9.- Pavillon Mies van der Rohe (**) 10.- Palais National (***) 11.- Musée National d'Art de Catalogne (***) 12.- Musée Ethnologique (*) 13.- Musée Archéologique (**) 14.- Théâtre Grec (**) 15.- Fontaines de Montjuïc (**) 16.- Foire aux Expositions (*) 17.- Place d'Espagne (**) 18.- "Les Arenes" (**) 19.- Parc de Miró (**) 20.- Parc de l'Espagne Industrielle (**) 21.- Gare de Sants (*).

Nous commencerons notre promenade au **Funiculaire de Montjuïc (1)** qui relie la station de métro du Paral·lel à la montagne. Il fut créé en 1929 à l'occasion de l'Exposition universelle. C'est un funiculaire qui a toujours fonctionné régulièrement durant des lustres mais qui n'a été rénové qu'en 1991. La dernière rénovation réalisée avant les Jeux Olympiques supposa le remplacement des vieilles voies, la réparation du tunnel qui passe sous la rue Nou de la Rambla, le prolongement des quais et l'augmentation de la capacité de voyageurs accueillis par heure qui passa de 1200 à 8500 passagers.

Mirador de l'Alcalde, à Montjuïc.

Monument à la sardane.

L'**ancien Parc d'attractions de Montjuïc** qui, de 1966, année de son ouverture, à 1999, dernière année pendant laquelle il fonctionna comme parc d'attractions, concurrença l'autre grand parc d'attractions de la ville, celui du Tibidabo, occupe une partie du flanc de la montagne.

Les amateurs de grands espaces verts pourront se régaler dans les alentours et faire de belles promenades dans les parcs de la montagne de Montjuïc. Parmi les jardins exotiques les plus importants du monde, signalons les **Jardins de Costa i Llobera (2)**, dédiées à ce poète majorquin. Sur une surface de six hectares, nous aurons l'opportunité de contempler un grand nombre de plantes sous-tropicales qui viennent d'endroits aussi dispersés que Madagascar, Amérique ou Afrique du Sud. Les conditions topographiques de ce terrain le rendent adéquat pour la culture de plantes provenant de climats plus chauds que celui de Barcelone.

Si nous prolongeons notre ascension vers le sommet de la montagne, nous trouverons le **Château de Montjuïc (3)** d'un grand intérêt historique. C'est une construction de la seconde moitié du XVIIIe siècle qui trouve ses antécédents dans un autre château construit en 30 jours durant la guerre de "els segadors", en 1640. Après la bataille, la forteresse devint propriété royale et, en 1694, elle fut agrandie et devint un important bastion qui occupait tout le sommet de la montagne. Il joua un rôle important durant la Guerre de Succession. A la fin de cette guerre, Philippe V fit partiellement démolir le châ-

Château de Montjuïc.

teau qui fut cependant totalement reconstruit, entre 1751 et 1779, sous la direction de Juan Martín Cermeño. On s'était rendu compte de son importance militaire ! Le château acquit alors la forme pentagonale étoilée qu'il a encore de nos jours. Au début du XIXe siècle, les troupes napoléoniennes s'y installèrent et, depuis 1810, il servit de prison. En 1960, le château fut donné à la ville. Il fut restauré par l'architecte Joaquim Ros de Ramis et préparé afin de pouvoir accueillir le **Musée militaire** qui contient de nombreuses collections d'armes et d'uniformes de guerre outre une compilation de miniatures militaires.

En descendant du château, près du relais entre le funiculaire et le téléphérique, se trouvent les **Jardins de Mossèn Cinto Verdaguer (4)**. Nous

Un ancien canon, à côté du Château de Montjuïc.

Téléphérique de Montjuïc.

Fondation Miró.

les reconnaîtrons tout de suite grâce à l'écusson floral de la ville qui se trouve dès l'entrée.
Poursuivons notre descente par l'Avenue Miramar et arrêtons nos pas devant l'un des centres d'art contemporain les plus originaux de la ville. Nous parlons de la **Fondation Joan Miró (5)**. L'édifice fut projeté durant les années 70 par Josep Lluís Sert, ami intime de Miró. Il s'agit d'une construction rationaliste d'un seul étage qui se développe autour d'un patio intérieur. Les salles qui forment l'ensemble reçoivent la lumière naturelle et l'entrée est présidée par une tour qui rappelle les vieux clochers gothiques catalans. Créée par Joan Miró lui-même en 1971, la Fondation joue un double rôle: d'une part l'étude et la diffusion de l'oeuvre de l'artiste, d'autre part, la promotion de l'art actuel. La zone qui entoure le bâtiment est connue sous le nom de **Jardí d'Escultures**. Nous y verrons des réalisations de Tom Carr, Pep Durán, Gabriel, Pere Jaume et Enric Pladevall entre autres. Une des plus importantes acquisitions de la Fondation fut la "fontaine de Mercure", d'Alexander Calder, construite en 1937 pour le pavillon espagnol de l'Exposition universelle de Paris. En 1977, ce centre reçut le prix spécial du Conseil de l'Europe destiné au meilleur musée mondial de l'année.
L'Avenue de l'Estadi, sur le flanc ouest de la montagne, nous conduira au **Site Olympique**, là où se trouvent toutes les grandes installations sportives des Jeux Olympiques. Notre point de départ sera le **Stade Olympique (6)** qui fut construit à l'occasion de l'Exposition universelle de 1929. Il mesurait initialement 66 000 mètres carrés dont 20 000 destinés à terrain de sport. Durant la République, Barcelone fut candidate aux

Stade Olympique et Palais Sant Jordi.

Tour Calatrava.

Piscines Bernat Picornell et Jardin Botanique.

Olympiades de 1936 (gagnées par Berlin) et présenta, parmi ses bases les plus fortes, l'existence de ce stade qui était alors le plus grand après celui de Wembley. En 1955 on y célébra les Jeux de la Méditerranée. Vers le milieu des années 60, il commença à se dégrader et son abandon se prolongea jusqu'aux travaux mis en marche en 1985, lorsque Barcelone fut désignée siège des Jeux Olympiques de 1992. Le projet fut réalisé par les architectes Correa, Milà, Margarit et Buxadé en collaboration avec l'italien Vittorio Gregotti. On construisit un stade totalement neuf tout en conservant la façade de l'ancien, de style néoclassique. Le terrain de jeu fut rabaissé de 11 mètres. De nouveaux gradins pouvant recevoir 55 000 spectateurs furent construits et on y installa un auvent de 150 mètres de long.

En face du stade se dresse l'installation vedette du complexe de le site olympique, le **Palais Sant Jordi (7)**. Il fut conçu par l'architecte japonais Arata Isozaki qui appliqua pour sa réalisation les techniques de pointe. Un moderne système de grues hydrauliques permit d'installer la toiture (de près de 13 500 mètres carrés). Le palais peut recevoir 17 000 spectateurs. Il fut inauguré en septembre 1990, reçut le prix FAD d'architecture la même année. Ces édifices et la **Tour Calatrava**, de la Compagnie des téléphones, qui se trouve tout à côté, ont profondément changé le profil de la ville tout en lui donnant un air plus moderne.

Les **Piscines Bernat Picornell** ont également fait l'objet d'une réforme pour les Jeux Olympiques de 1992. C'est dans leurs installations qu'ont eu lieu les épreuves de sauts.

Sur le chemin du " Poble Espanyol ", la visite de l'**Institut - Jardin Bota-**

nique de Barcelone doit être conçue comme l'une des promenades les plus conseillées. Ce jardin est spécialement consacré à la flore des cinq régions du monde au climat méditerranéen. Les espèces y sont regroupées en fonction de leur origine et de leurs affinités écologiques.

L'Avenue Marquès de Comillas nous portera au **Poble Espanyol (8)**, construction réalisée entre 1926 et 1928 pour l'Exposition universelle. Ce "village" voulait être une synthèse de l'Espagne monumentale et, sous la forme d'un pittoresque village, recueillir tous les exemplaires les plus représentatifs de l'architecture traditionnelle des différentes zones du pays. Parmi ses éléments les plus caractéristiques, signalons les murailles qui l'entourent qui, avec les deux tours de l'entrée, évoquent Avila. Les maisons sont ordonnées autour d'une grande place centrale entourée de ruelles avec des maisons typiques de plusieurs villes espagnoles. Un grand nombre de ces maisons possède un atelier d'artisans ou un petit magasin de souvenirs. Le Poble espanyol est aujourd'hui un des centres de la vie nocturne de Barce-

" Poble Espanyol " : Tours d'Avila et Plaça Major.

lone avec un ample éventail de possibilités.

Tout en allant vers notre nouveau but, nous passerons devant le **Pavillon Mies van der Rohe (9)**. Arrêtons-nous un instant. Il s'agit du pavillon d'Allemagne, projeté par l'architecte et qui participa à l'Exposition universelle de 1929 et que les experts ont qualifié de "chef d'oeuvre de l'architecture moderne" car l'équilibre linéaire entre les espaces intérieurs et extérieurs est parfait.

Pavillon Mies van der Rohe.

Nous vous proposons maintenant de nous rendre au **Palais National (10)**, un des édifices les plus significatifs de la ville. Il se dresse sur la Place del Mirador. Chargé de présider le grand ensemble de l'Exposition de 1929, il fut construit comme un édifice monumental et éclectique, symétrique et ordonné autour d'une grande salle elliptique dans laquelle se combinent les éléments classiques et les churrigueresques. Quant à son profil extérieur, signalons la grande coupole sur le corps de la façade qui rappelle Michel Ange, avec des peintures murales réalisées par Francesc Galí. Deux coupoles mineures se dressent de chaque côté ainsi que quatre tours compostélaines.

Palais National.

Pantocrátor (XIIème siècle), fragment provenant de l'abside centrale de l'église de Sant Climent de Taüll (Lleida). Musée National d'Art de Catalogne (MNAC).

" La Vierge des Conseillers ", œuvre de Lluís Dalmau datant de 1445. Musée National d'Art de Catalogne (MNAC).

Salle ovale du Palais National.

En 1934, le palais se transforma en **Musée National d'Art de Catalogne (MNAC) (11)**. Il conserve des collections d'art roman, gothique, renaissance et baroque d'une valeur incalculable. Entre 1985 et 1996 eut lieu une restauration ambitieuse du palais et du musée, lequel a agrandi ses fonds antérieurs et organise également des expositions temporaires. En ce qui concerne l'intérieur du palais, on peut surtout remarquer la salle ovale, d'une grande beauté, qui est utilisée pour certaines occasions comme salle de concerts.

En sortant du Palais National, sur la droite, nous prendrons le Passeig de Santa Madrona qui nous mènera au **Musée Ethnologique (12)**, créé en 1948. Le musée conserve un fonds important provenant de peuplades indigènes d'Afrique, d'Australie, d'îles du Pacifique, d'Amérique Centrale et Méridionale et de quelques zones d'Asie. Admirons tout particulièrement les objets pré-colombins d'Amérique Centrale, les collections d'artisanat japonais, les sculptures religieuses de l'Inde et les masques et les objets africains et du Népal.

Au 39 nous trouverons un autre musée qui mérite vraiment une visite. Nous parlons du **Musée d'Archéologie (13)**, ouvert en 1935. L'édifice est de style "noucentiste". Remarquons les éléments structuraux et le ornementaux revêtus de terre-cuite. A l'intérieur du musée nous pourrons voir une importante collection d'objets de diverses cultures de la Catalogne et des Baléares qui vont du paléolithique à l'époque wisigothe. Nous y trouverons aussi des exemplaires de céramique, des mosaïques et des sculptures des époques grecques et romaines.

Grimpons peu à peu vers le haut de la montagne par le Passeig de l'Exposició et nous arriverons au **Théâtre Grec (14)**.

Musée Ethnologique.

Théâtre Mercat de les Flors.

Théâtre Grec.

Fontaine lumineuse de Montjuïc.

Construit en 1929, sa disposition s'inspira dans celui d'Epidaure. Il est formé par une scène dont le fond est un mur de rocher qui appartenait à l'ancienne carrière abandonnée et est recouvert de lierre. Les gradins forment un demi cercle, exactement comme ceux des théâtres de la Grèce ancienne. Depuis son inauguration jusqu'en 1936, cet espace fut infra-utilisé (il ne fonctionna que durant 15 jours) et depuis lors jusqu'en 1952, il fut hors de service. Cette année-là commencèrent quelques représentations qui firent du Théâtre Grec un espace public. Le début des "saisons du Grec" signifia la récupération définitive du théâtre pour la ville.

Nous revenons maintenant vers le Palais National en suivant le Passeig de Santa Madrona vers la Place d'Espagne. Cette promenade nous conduira jusqu'à la Place de Carles Buïgas, dédiée à l'ingénieur qui construisit la **fontaine lumineuse de Montjuïc (15)**, populairement connue sous le nom de "Font màgica". Depuis sa mise en fonctionnement, en 1929, cette fontaine et d'autres, plus petites, sont l'un des attraits principaux de Montjuïc avec leurs jeux d'eau, de lumière et de son. Restaurée par l'ingénieur en 1955, la fontaine servait de porte d'entrée au Palais National. Neuf faisceaux de lumière surgissent chaque nuit de derrière le Palais et sont visibles depuis toute la ville. En 1969, Carles Buïgas reçut la Médaille d'Or au Mérite artistique.

Barcelone est une ville qui sait depuis très longtemps organiser de grandes foires commerciales et industrielles qui sont le moteur de son économie. C'est donc pour cela que l'enceinte de la

Avenue de la Reina María Cristina et enceinte de la Foire de Barcelone.

foire exposition est assez grande pour recevoir les principales foires. C'est ainsi que la **Foire de Barcelone (16)** a pris naissance et s'est développée. Le terrain qu'elle occupe a aussi été construit pour l'Exposition Universelle de 1929. Cet espace compte aujourd'hui treize pavillons et a été étendu avec l'aménagement d'autres nouveaux espaces dans la Zona Franca.

L'Avenue de la Reina Maria Cristina, flanquée par d'énormes nefs de la foire exposition, nous conduira à la **Place d'Espagne (17)**. Place circulaire qui dispo-

Fontaine de la Place d'Espanya.

" Les Arènes ".

" Femme et oiseau ", sculpture de Joan Miró dans le Parc de l'Escorxador.

se d'un tunnel qui absorbe l'intense trafic de la ville, elle s'ordonne autour d'une fontaine imposante, oeuvre de Josep M. Jujol, formée par trois grandes colonnes et des groupes sculpturaux réalisés par Blay, Llovet et les Frères Oslé. Dans un coin de la place, au début de l'Avenue de la Reina Maria Cristina, se dressent deux grandes tours construites en 1929 par Ramon Reventós. A leurs côtés se trouvent les façades à colonnes du **Palais du Travail** et du **Palais des Communications et des Transports.**

A l'autre bout de la place nous verrons un édifice qui rompt son uniformité de style. Nous voulons parler de **"Les Arènes" (18)**, construite entre 1889 et 1900 par August Font. Il s'agit d'une construction circulaire de 52 mètres de diamètre, pouvant accueillir 15 000 spectateurs. Les éléments qui définissent son style s'inspirent dans l'iconographie arabe. Depuis plusieurs années déjà, ces arènes sont hors d'usage.

Derrière cette place, aux limites de l'"Eixample" se trouve le **Parc de l'Escorxador**, grande zone verte qui occupe les terrains de l'ancien abattoir muni-

cipal. Son nom officiel est **Parc de Joan Miró (19)**. Il fut inauguré en 1983 et est présidé par une grande statue de l'artiste intitulée "Dona i ocell" (Femme et oiseau), de 22 mètres de hauteur, qui surgit d'un bassin rectangulaire situé sur une place pavée et surélevée. Un chemin protégé par une pergola va du bassin à un petit bosquet de pins et de chênes qui sépare la palmeraie des terrains de jeux.

Prenons maintenant la rue de Tarragona et tournons sur la gauche afin d'arriver à la rue Mallorca. Nous pourrons ainsi admirer le **Parc de l'Espagne Industrielle (20)**, d'une extension de cinq hectares et qui fut construit sur les anciens terrains de l'usine du Vapor Nou. La construction du parc formait part du projet de création de plusieurs espaces publics dans une zone particulièrement dense et, en même temps, de réorganisation du secteur qui se trouve autour de la gare de Sants. Il s'agit d'un parc avec des ponts, des étangs et des réverbères spectaculaires qui rappèlent les vieux phares de la côte. Ce parc possède aussi un groupe de sculptures parmi lesquelles on remarquera le "Gran Drac de Sant Jordi" qui surgit des eaux, oeuvre d'Andrés Nagel.

Face à la Place Països Catalans se trouve la **Gare de Sants (21)** qui, avec celle de France, totalement rénovée, canalise la majeure partie du trafic ferroviaire de Barcelone. En 1992 on construisit, sur la gare, l'Hôtel Barcelona-Sants, directement relié à la gare.

Touche de style moderniste dans une maison située près de la Place d'Espagne.

Parc de l'Espagne Industrielle et Gare de Sants.

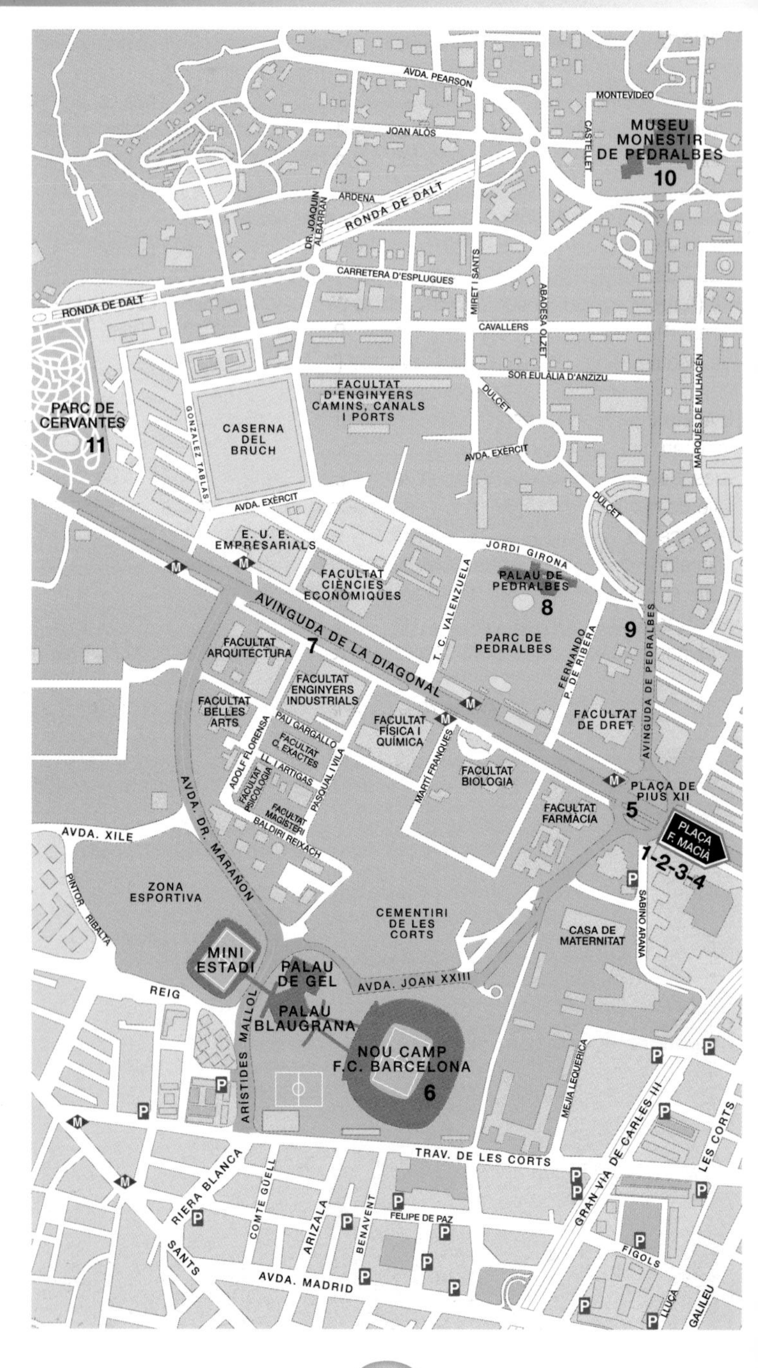
AVDA. PEARSON
MONTEVIDEO
JOAN ALÒS
CASTELLET
MUSEU MONESTIR DE PEDRALBES
10
ARDENA
RONDA DE DALT
DR. JOAQUIN ALBARRAN
CARRETERA D'ESPLUGUES
MIRET I SANTS
ABADESA OLZET
RONDA DE DALT
CAVALLERS
SOR EULÀLIA D'ANZIZU
MARQUÉS DE MULHACÉN
FACULTAT D'ENGINYERS CAMINS, CANALS I PORTS
DULCET
PARC DE CERVANTES
11
GONZALEZ TABLAS
CASERNA DEL BRUCH
AVDA. EXÈRCIT
AVDA. EXÈRCIT
DULCET
E. U. E. EMPRESARIALS
JORDI GIRONA
PALAU DE PEDRALBES
8
FACULTAT CIÈNCIES ECONÒMIQUES
T. C. VALENZUELA
AVINGUDA DE LA DIAGONAL
7
9
FACULTAT ARQUITECTURA
PARC DE PEDRALBES
FERNANDO P. DE RIBERA
AVINGUDA DE PEDRALBES
FACULTAT ENGINYERS INDUSTRIALS
FACULTAT BELLES ARTS
PAU GARGALLO
FACULTAT FÍSICA I QUÍMICA
FACULTAT DE DRET
FACULTAT C. EXACTES
ADOLF FLORENSA
LL. I ARTIGAS
FACULTAT PSICOLOGIA
PASQUAL I VILA
MARTÍ FRANQUÈS
FACULTAT BIOLOGIA
PLAÇA DE PIUS XII
5
FACULTAT MAGISTERI
BALDIRI REIXACH
FACULTAT FARMÀCIA
PLAÇA F. MACIÀ
1-2-3-4
AVDA. XILE
AVDA. DR. MARAÑON
PINTOR RIBALTA
ZONA ESPORTIVA
CEMENTIRI DE LES CORTS
SABINO ARANA
CASA DE MATERNITAT
MINI ESTADI
PALAU DE GEL
AVDA. JOAN XXIII
REIG
PALAU BLAUGRANA
ARÍSTIDES MALLOL
NOU CAMP F.C. BARCELONA
6
MEJÍA LEQUERICA
GRAN VIA DE CARLES III
LES CORTS
TRAV. DE LES CORTS
RIERA BLANCA
COMTE GÜELL
ARIZALA
BENAVENT
FELIPE DE PAZ
SANTS
AVDA. MADRID
FÍGOLS
LLUÇÀ
GALILEU

ITINERAIRE 7: (*) (M)

Cet itinéraire nous conduira directement vers les hauts quartiers de la ville, zone résidentielle. Nous y trouverons la porte sud de Barcelone, celle où commencent les routes et les autoroutes qui relient la ville aux autres provinces catalanes et au reste du pays.

1.- Avenue de la Diagonal (**) 2.- Place de Francesc Macià (*) 3.- Avenue de Pau Casals (**) 4.- Edifices Atalaya, Trade, L'Illa Diagonal (*) 5.- Place de Pius XII (*) 6.- Stade du Fútbol Club Barcelona (***) 7.- Zone universitaire de la Diagonal (*) 8.- Palais de Pedralbes (***) 9.- Pavillons Güell (***) 10.- Monastère de Pedralbes (***) 11.- Parc de Cervantes (**).

L'**Avenue de la Diagonal (1)** est, avec la Gran Via, une des plus longues rues de Barcelone. Elle traverse la ville de nord à sud, en diagonale, de la Place de les Glòries à la sortie de Barcelone, à la Zone Universitaire. Si nous suivons cette avenue en direction Tarragone, c'est à dire vers le sud, nous arriverons à une des places qui ont le mieux symbolisé son statu social: la **Place de Francesc Macià (2)**. Circulaire, son espace central est occupé par un jardin et de petits lacs. Des grands magasins (El Corte Inglés) et de grandes entreprises s'y sont installés ainsi que des bars à la mode (c'est le cas de La Oca). Plusieurs artères naissent sur cette place. A

Avenue de la Diagonal, section de l'entrée sud de Barcelone.

Place de Francesc Macià.

Bâtiment Banca.

L'Illa Diagonal.

droite, l'**Avenue de Pau Casals (3)**, une petite rambla avec jardin qui débouche sur l'un des poumons verts de Barcelone: les beaux jardins du **Turó Parc.**

Si nous poursuivons notre promenade tout au long de la Diagonal, signalons quelques immeubles qui furent à l'avant-garde de l'architecture que Barcelone développa postérieurement. Nous avons ainsi l'**Atalaya**, des immeubles occupés par La Caixa (caisse d'épargne) ou la Banca Catalana et les tours du **Trade (4)** qui se trouvent sur la gauche et qui sont quatre tours ondulées. Le "pâté de maison en or" est occupé par la très récente construction de **L'Illa Diagonal**, une construction qui possède toutes les caractéristiques des gratte-ciel mais appliquées au sens horizontal. Dans ce super-bloc nous trouverons des bureaux, un hôtel et un important centre commercial.

En arrivant à la **Place de Pius XII (5)** nous pourrons choisir plusieurs routes.

Bâtiments Trade.

Stade du F.C. Barcelona, le " Camp Nou ".

Perspective de la Zone Universitaire.

A gauche, l'Avenue de Joan XXIII nous conduira à l'un des endroits les plus fréquentés par les visiteurs de la ville et qui curieusement est le **Camp Nou, stade du Fútbol Club Barcelona (6)**. Le stade du Barça, nom sous lequel il est connu dans le monde entier, peut accueillir 120 000 spectateurs. Il fut inauguré en 1957. Il a été qualifié comme l'un des terrains de jeux les plus complets du monde car, malgré ses dimensions, on y voit très bien les joueurs de tous les points des gradins. Il faut absolument admirer son auvent qui n'est soutenu que par des supports extérieurs. Sous le stade se trouve le **Musée du Barça** avec une exposition permanente d'uniformes, fanions, photographies et les nombreux trophées gagnés par l'équipe considérée "plus qu'un club". C'est ici aussi qu'est installée la Fundació, née afin de promouvoir les activités parallèles du club. L'enceinte est complétée par un piste de patinage sur glace, une piste de sport, un mini-stadium, des terrains d'entraînement, un magasin et une ferme (une des rares qui existent encore en ville) qui sert de logement aux jeunes joueurs de football.

En reprenant la Diagonal et en continuant tout droit, nous arriverons à la **Zone Universitaire de la Diagonal (7)**, un des quatre centres académiques de Barcelone et qui fut projeté durant les années 50. Le centre occupe la zone comprise entre les avenues de Pedralbes et du Doctor Marañón.

Nos pas se tourneront vers la droite, vers l'Avenue de Pedralbes, vers la zone de même nom où nous connaîtrons un quartier résidentiel de Barcelone tout en découvrant de petits palais et un important monastère.

Sur la Diagonal se trouve, au numéro 686, le **Palais de Pedralbes (8)**, construit sur les terrains de la famille Güell. Il s'agit d'un grand palais qui devait être la résidence du roi Alphonse XIII. Les travaux commencèrent en 1921 sous la direction des architectes Eusebi Bona i Puig et Francesc de Paula Nebot. L'histoire imposa cependant un virage drastique et ce palais accueillit finalement les leaders de la République et le général Franco durant la dictature. Il fut déclaré Monument historico-artistique d'intérêt national en 1931 et passa aux mains de la mairie de Barcelone. Il est formé par un corps central de quatre étages encadré par deux corps latéraux de trois étages. A l'intérieur nous pourrons voir, au rez-de-chaussée, le salon du trône, la grande salle à manger et la salle de musique. Il conserve de nombreux chefs d'oeuvres. En 1960 il fut ouvert au public et on y créa plusieurs musées comme celui des **Arts décoratifs** et celui de **Céramique**.

Sur l'avenue Pedralbes nous pourrons aussi admirer les **Pavillons Güell (9)** qui sont ce qui reste de l'entrée principale à la propriété qui devait devenir ensuite Palais de Pedralbes. Il reste donc encore les portes, les murs et les pavillons d'entrée de ce palais Güell, oeuvre typique de Gaudí.

Plus loin, le **Monastère de Pedralbes (10)** qui naquit grâce aux efforts d'Elisenda de Montcada, dernière épou-

Palais de Pedralbes.

Pavillons Güell : dragon de la porte d'entrée.

Monument à Gaudí et porche de la Propriété Miralles, œuvre de Gaudí, près des Pavillons Güell.

se du roi Jacques II qui décida, dès qu'elle apprit que son époux voulait être enterré auprès de sa première épouse, de construire ce monastère qui serait sa dernière demeure. Après la mort de son époux, Elisenda s'installa dans une résidence adossée au monastère qui, suivant ses désirs, fut détruit à sa mort (bien qu'on en conserve quelques vestiges). La construction du monastère commença en 1326. Il fut dédiée à la dévotion de la Vierge Marie et occupé par l'ordre des clarisses. Le fait d'avoir été construit aussi rapidement et de n'être occupé que par un ordre religieux contribua énormément à l'unité de style du monastère. Le cloître est l'un des attraits principaux . Il est

Monastère de Pedralbes.

simplement fabuleux, avec ses trois étages. On le considère parmi les plus beaux et les plus grands du monde de style ogival. L'intérieur n'a qu'une nef et des chapelles latérales dédiées, pour la plupart, à des sépulcres de nobles (Elisenda de Montcada parmi eux). Le monastère de Pedralbes, oeuvre majeure du gothique catalan, fut déclaré Monument historico-artistique d'intérêt national en 1931.

Dans la salle capitulaire du monastère se trouve le **Musée du Monastère de Pedralbes** qui conserve des véritables joyaux préservés tout au long des siècles: nous y verrons des tableaux, des retables et des statues des XVIe et XVIIe siècles surtout. Dans ce qui fut le dortoir des clarisses on a installé, après avoir réalisé les travaux pertinents, l'importante **Collection Thyssen Bornemisza**. Bien que les travaux effectués dans la nouvelle salle ne suivent pas exactement le même style que les autres et rompent donc avec leur unité, c'est une belle salle d'exposition et un excellent auditorium.

Et nous finirons notre itinéraire à la sortie de Barcelone, au **Parc de Cervantes (12)**, au bout de la Diagonal. Il fut inauguré en 1965 et sa surface totale est de 87 665 m2. Il a été réalisé par l'architecte Lluís Riudor i Carol. Il possède une grande roseraie dans laquelle est représentée une grande quantité de roses dûment étiquetées. Tout le parc est aussi émaillé de sculptures d'Alfaro, d'Eulàlia Fàbregas de Sentmenat, de J.D. de la Campa et d'une statue en hommage au poète Maragall et réalisée par son fils luimême.

Parc de Cervantes.

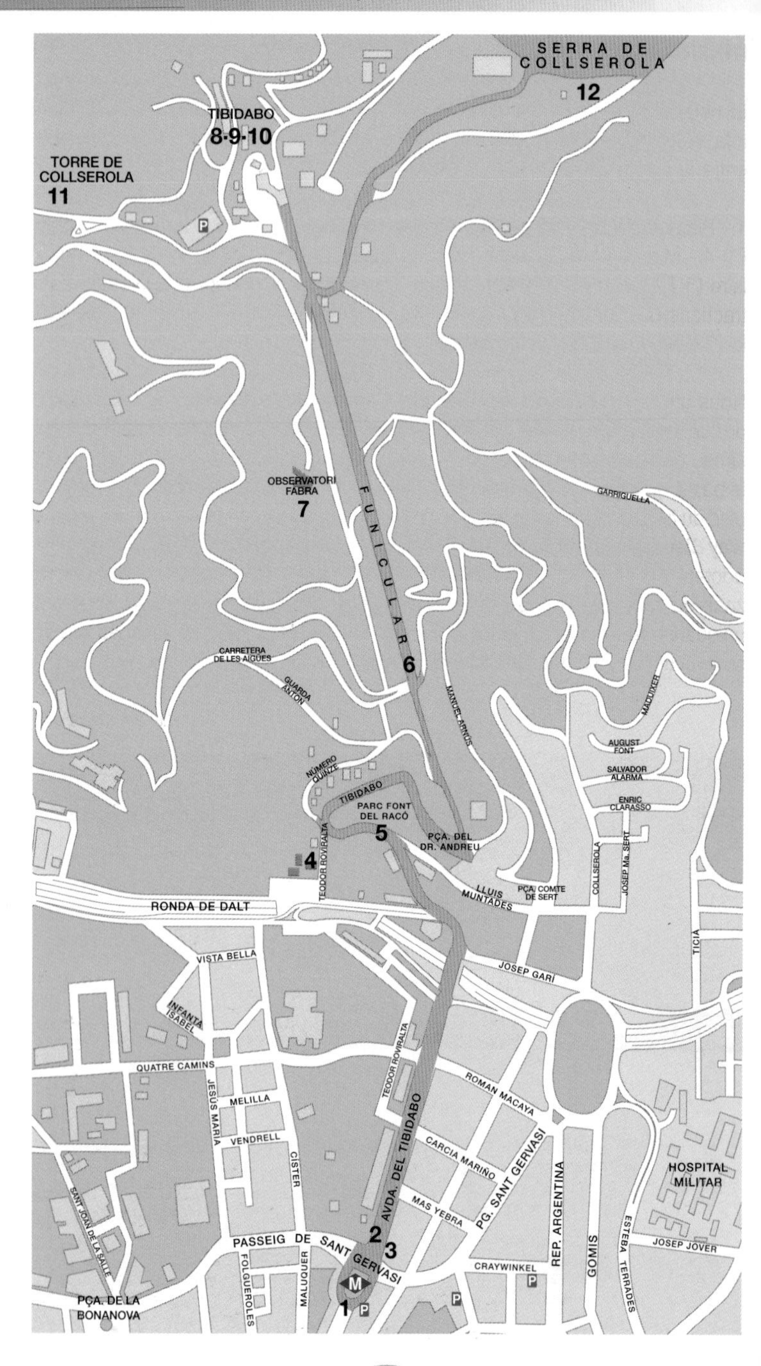
SERRA DE COLLSEROLA
12
TIBIDABO
8-9-10
TORRE DE COLLSEROLA
11
OBSERVATORI FABRA
7
FUNICULAR
GARRIGUELLA
CARRETERA DE LES AIGÜES
GUARDA ANTON
6
MANUEL ARNÚS
MADUIXER
AUGUST FONT
SALVADOR ALARMA
ENRIC CLARASSO
NÚMERO QUINZE
TIBIDABO
PARC FONT DEL RACÓ
5
PÇA. DEL DR. ANDREU
4
TEODOR ROVIRALTA
LLUIS MUNTADES
PÇA. COMTE DE SERT
COLLSEROLA
JOSEP Ma. SERT
RONDA DE DALT
TICIA
VISTA BELLA
JOSEP GARÍ
INFANTA ISABEL
QUATRE CAMINS
JESÚS MARIA
MELILLA
VENDRELL
CISTER
TEODOR ROVIRALTA
AVDA. DEL TIBIDABO
ROMAN MACAYA
GARCIA MARIÑO
PG. SANT GERVASI
REP. ARGENTINA
GOMIS
MAS YEBRA
HOSPITAL MILITAR
ESTEBA TERRADES
JOSEP JOVER
SANT JOAN DE LA SALLE
PASSEIG DE SANT GERVASI
2
3
FOLGUEROLES
MALUQUER
CRAYWINKEL
PÇA. DE LA BONANOVA
1

ITINERAIRE 8: (*) (M)

Et nous finirons notre grande promenade au Tibidabo, sur la Serra de Collserola. Notre point de départ sera la Place de John Kennedy, point de rencontre entre la rue de Balmes et le Passeig de Sant Gervasi.

1.- Place de John F. Kennedy (*) 2.- Avenue du Tibidabo (*) 3.- Tramway Bleu (**) 4.- Musée de la Science (**) 5.- Parc de la Font del Racó (*) 6.- Funiculaire (*) 7.- Observatoire Fabra (**) 8.- Eglise du Sacré Coeur (**) 9.- Parc d'attractions du Tibidabo (***) 10.- Musée d'automates (**) 11.- Tour de Collserola (***) 12.- Serra de Collserola (*).

Nous utiliserons pour cette promenade l'un des moyens de transport les plus aimés de la ville: le tramway qui relie le bas de l'**Avenue du Tibidabo (2)** au pied du funiculaire: le pittoresque **Tramway Bleu (3)**, qui date de 1901. L'illustre docteur Andreu voulait urbaniser une zone du flanc du Tibidabo et en faire un quartier résidentiel sur lequel devait se lever un parc d'attractions auquel on arriverait en tramway et funiculaire. C'est ainsi que naquit le cable-car qui nous occupe. Ce tramway a été témoin de nombreux événements historiques: en 1904, durant sa visite à Barcelone, le roi Alphonse XIII refusa de l'emprunter et se rendit en voiture jusqu'au funiculaire. Il est le seul exemplaire survivant dans toute la ville car tous les autres ont disparu.

Le Tramway Bleu.

Sous-marin à l'extérieur du Musée de la Science.

Salle du Musée de la Science.

En remontant l'avenue du Tibidabo nous trouverons, sur la gauche, le **Musée de la Science (4)**, construit au début du siècle et restauré par les architectes Jordi Garcés et Enric Sòria. Le musée, qui appartient à la Fundation de "La Caixa", se trouve juste aux côtés des modernes Rondes (voies périphériques rapides inaugurées pour les Jeux Olympiques de 92). C'est un musée vraiment fantastique qui va nous permettre de passer un bon moment, amusant et instructif en même temps tout en explorant les secrets de la science. Le musée de la Science de Barcelone est un centre inter-actif où le visiteur n'est pas un simple observateur car il doit participer à toutes les expériences qui ont été conçues pour mettre en évidence l'inter-activité. On y trouvera des sujets très divers: des salles d'optique, de perception, du mouvement des vagues, de mécanique, un "clik dels nens" pour les enfants, les nouveaux matériaux et la biologie dans la salle de la Planète vivante où le visiteur peut observer la vie d'êtres vivants. On peut aussi réaliser des visites facultatives: le Planétarium dans lequel on peut se submerger dans l'immensité de l'Univers; les ateliers de travail et les expositions téméraires changeantes au cours de mois et qui justifient les visites renouvelées au musée. Le musée offre aussi des activités scolaires, des cours de divulgation, des cycles de conférences et plusieurs activités dont le but est de mettre à la portée de tous les différents aspects de la science.

Au bout de l'Avenue du Tibidabo s'ouvre le **Parc de la Font del Racó (5)**, jardin romantique qui permet de merveilleuses vues sur la ville et qui conduit directement à la Place del Doctor Andreu, terminus du **Funiculaire du Tibidabo (6)**. Barcelone fut la première ville espagnole qui disposa de ce moyen de transport qui fut inauguré en 1901. La ligne mesure 1152 mètres, avec une seule voie afin de faciliter le croisement des convois ascendant et descendant. Le dénivel-

Parc de la Font del Racó.

Funiculaire du Tibidabo.

Maison Arnes et halte du Funiculaire du Tibidabo.

Observatoire Fabra.

lement entre le point le plus haut et le plus bas est de 275 mètres. Le funiculaire fut construit par une entreprise suisse et la culture populaire le baptisa très vite et lui donna le surnom de "Funi". C'est pour cela que l'écrivain Santiago Rusiñol écrivit que les gens "montaient au Tibi en Funi".

L'**Observatoire Fabra (7)** se trouve sur le haut de la route du Tibidabo. Il fut construit suivant les canons du style "moderniste" par Domènec i Estepà, suivant les conseils de l'astronome Josep Comas i Solà. Il fut inauguré en 1904 par le roi Alphonse XIII et a toujours appartenu à la Real Academia de Ciencias y Artes de Barcelone. Le centre est divisé en trois départements: l'astronomie, la sismologie et la météorologie. L'observatoire appartient au réseau astrométrique mondial. Il fut un des premiers à s'incorporer à ce réseau. L'édifice est formé par une juxtaposition d'un corps octogonal couronné par une coupole giratoire de fer dans laquelle se trouve le télescope et un autre corps rectangulaire couvert par un toit à deux versants avec une ouverture étroite qui permet d'installer les appareils d'observation.

Temple du Sacré Cœur de Jésus et Parc d'Attractions du Tibidabo.

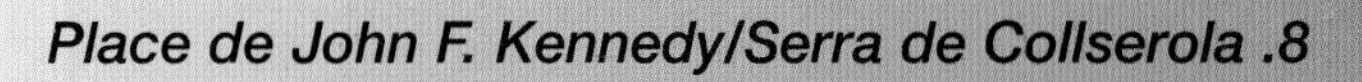

Temple du Sacré Cœur de Jésus.

Parc d'Attractions du Tibidabo et la ville

La montagne du Tibidabo est coiffée par l'**église du Sacré Coeur (8)**, d'inspiration néogothique, dont les travaux commencèrent en 1902 sous les ordres de l'architecte Enric Sagnier, mais qui se prolongèrent durant 60 ans. Elle est couronnée par une monumentale statue de Jésus avec les bras ouverts. Ce geste de miséricorde se perd au milieu des antennes et des tours de communication qui l'entourent.

Aux pieds de l'église s'étalent les installations du **Parc d'attractions du Tibidabo (9)**, zone de jeux qui a été, depuis toujours, le refuge et le but des escapades des grands et des petits. L'histoire du parc remonte à la fin du siècle dernier, lorsque le Docteur Andreu fonda l'entreprise Tibidabo S.A. à travers laquelle il prétendait transformer une partie de la montagne en ville-jardin agrémentée par une grande zone de jeux. C'est donc ainsi que les attractions furent installées au sommet de la montagne. Tout d'abord les automates, ensuite le chemin de fer aérien et, ensuite, de nombreuses attractions. Il occupe actuellement 70 000 m² et grâce à lui la montagne est devenue magique, avec la fantaisie comme premier protagoniste. Le **Musée des Automates (10)**, situé dans un bâtiment "moderniste" du début du siècle, avec une collection de mannequins et de machines aux mouvements mécaniques est le plus intéressant du parc. Tout près du faîte du Tibidabo se dresse la **Tour de Communications de Collserola (11),** oeuvre du célèbre architecte britannique Norman Foster.

Elle fut construite avec les autres grandes infrastructures entreprises à l'occasion des Jeux Olympiques. Il s'agit d'une tour qui mesure 288 mètres de hauteur, la plus haute d'Espagne et la cinquième d'Europe. Son design sophistiqué rompt totalement avec la typique esthétique des tours de communications conventionnelles. On y a concentré tous les différents systèmes qui jusqu'alors étaient éparpillés sur la montagne de Collserola. La tour est formée par une colonne de béton de 4,5 mètres de diamètre, un mât tubulaire d'acier de 38 mètres et une jalousie de 45 mètres. Un coffre contenant des pièces de monnaie commémoratives des Jeux Olympiques de 1992 fut enterré à sa base lors de la pose de la première pierre. Entre les cotes 84 et 152, il y a 13 plateformes sur lesquelles sont posés des radars et d'autres éléments émetteurs et récepteurs. La dixième plateforme est un grand mirador public qui se trouve à 550 mètres d'altitude et qui nous permettra d'admirer un panorama incroyable sur la ville. Les caractéristiques techniques de la tour lui permettent de résister à un ouragan de plus de 300 km/h. La construction de soutien a deux sous-sols, adaptés à la topographie de l'endroit sur lequel on a installé une couche végétale. La Tour de Collserola est devenue, depuis sa construction, un élément emblématique du nouveau visage de la ville.

La **Serra de Collserola (12)**, cadre de notre itinéraire, est un grand parc naturel dans lequel on peut réaliser des visites guidées afin de mieux connaître la végétation de la zone qui est un énorme poumon vert pour Barcelone.

Tour de Collserola.

Maison Figueras ou Bellesguard, œuvre de Gaudí, résidence de propriété privée de la rue Bellesguard, au pied du Tibidabo.

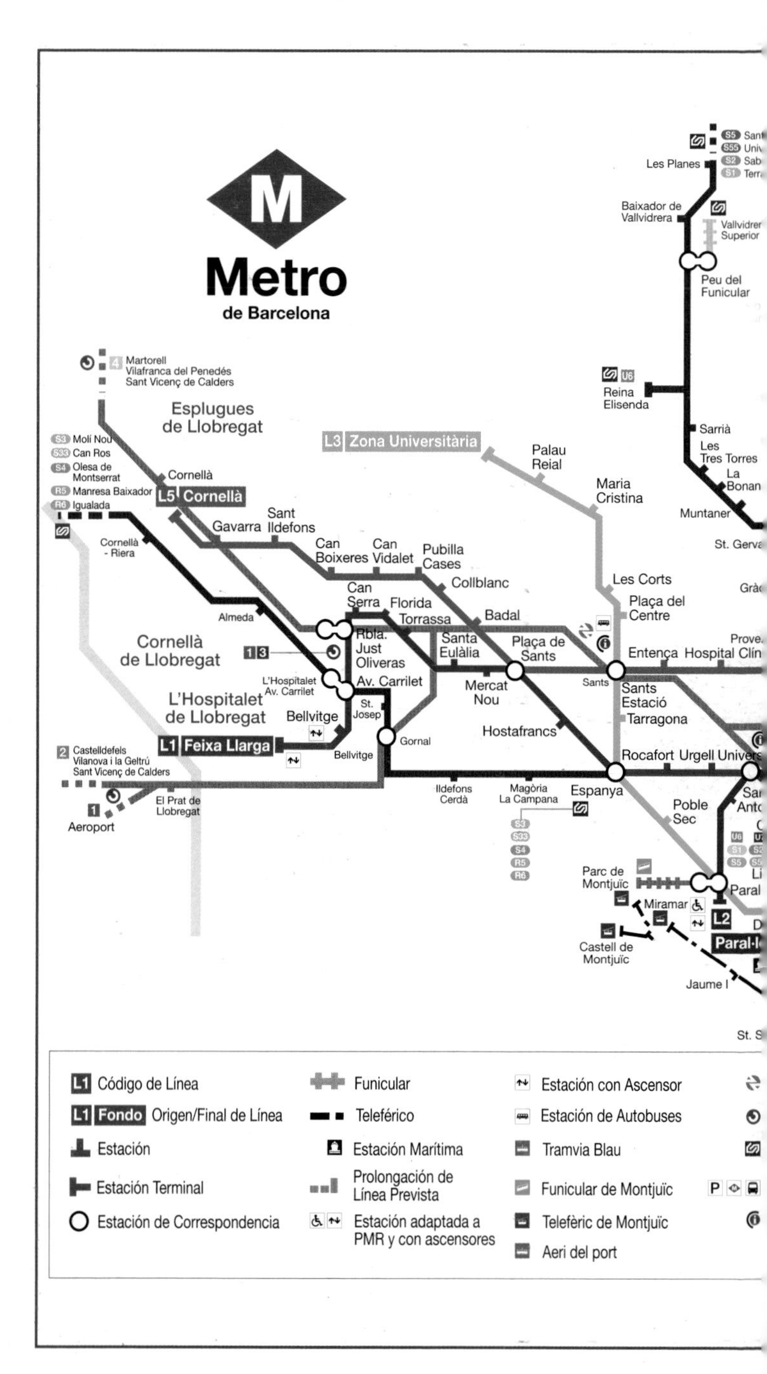
M
Metro
de Barcelona
Martorell
Vilafranca del Penedés
Sant Vicenç de Calders
Esplugues
de Llobregat
Molí Nou
Can Ros
Olesa de Montserrat
Manresa Baixador
Igualada
Cornellà
L5 Cornellà
L3 Zona Universitària
Palau Reial
Maria Cristina
Les Planes
Baixador de Vallvidrera
Vallvidrera Superior
Peu del Funicular
Reina Elisenda
Sarrià
Les Tres Torres
La Bonanova
Muntaner
St. Gervasi
Gavarra
Sant Ildefons
Can Boixeres
Can Vidalet
Pubilla Cases
Collblanc
Cornellà - Riera
Can Serra
Florida
Torrassa
Badal
Les Corts
Plaça del Centre
Almeda
Rbla. Just Oliveras
Santa Eulàlia
Plaça de Sants
Sants
Entença
Hospital Clínic
Cornellà de Llobregat
L'Hospitalet Av. Carrilet
Av. Carrilet
Mercat Nou
Sants Estació
Tarragona
L'Hospitalet de Llobregat
Bellvitge
St. Josep
Hostafrancs
L1 Feixa Llarga
Gornal
Rocafort
Urgell
Universitat
Castelldefels
Vilanova i la Geltrú
Sant Vicenç de Calders
Ildefons Cerdà
Magòria La Campana
Espanya
El Prat de Llobregat
Aeroport
Poble Sec
Parc de Montjuïc
Miramar
Paral·lel
L2
Castell de Montjuïc
Jaume I
L1 Código de Línea
L1 Fondo Origen/Final de Línea
Estación
Estación Terminal
Estación de Correspondencia
Funicular
Teleférico
Estación Marítima
Prolongación de Línea Prevista
Estación adaptada a PMR y con ascensores
Estación con Ascensor
Estación de Autobuses
Tramvia Blau
Funicular de Montjuïc
Telefèric de Montjuïc
Aeri del port

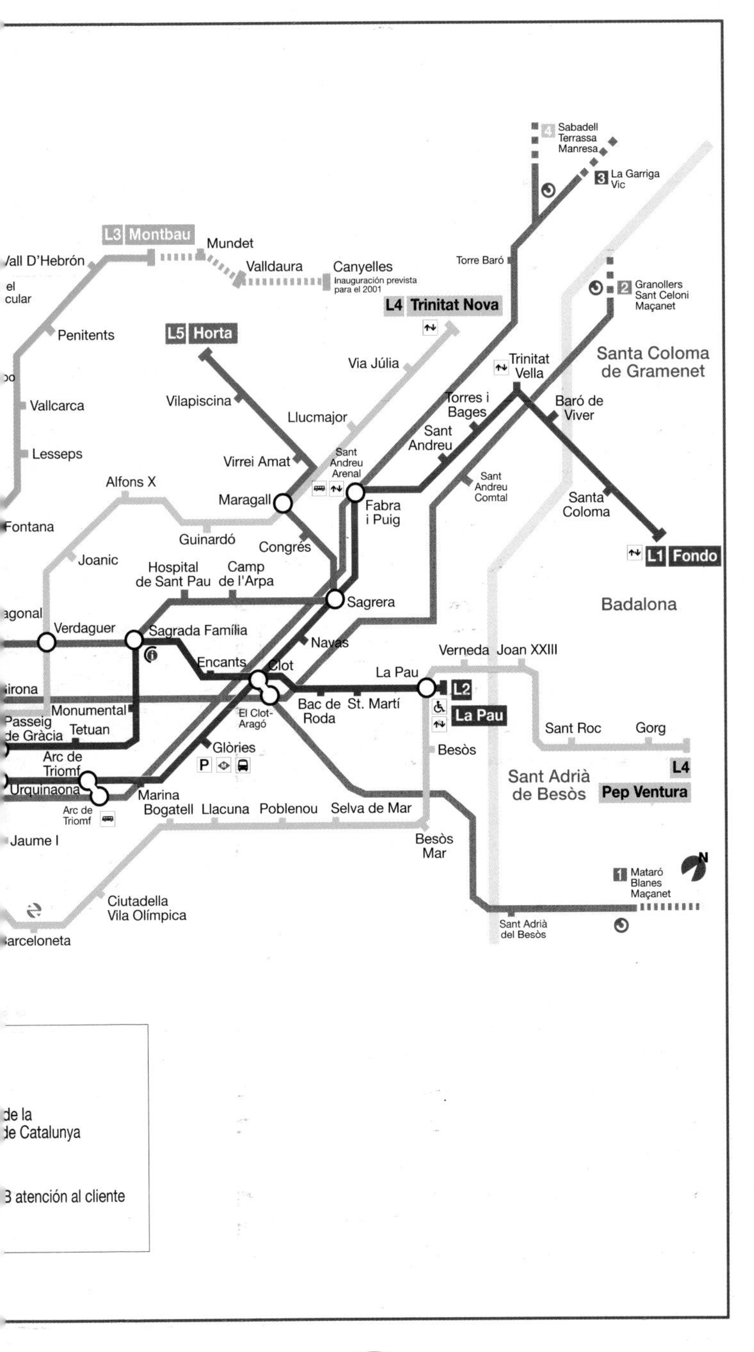
Sabadell
Terrassa
Manresa
La Garriga
Vic
L3 Montbau
Mundet
Vall D'Hebrón
Valldaura
Canyelles
Inauguración prevista para el 2001
Torre Baró
Granollers
Sant Celoni
Maçanet
L4 Trinitat Nova
el
cular
Penitents
L5 Horta
Via Júlia
Trinitat Vella
Santa Coloma de Gramenet
Vallcarca
Vilapiscina
Torres i Bages
Baró de Viver
Llucmajor
Sant Andreu
Lesseps
Virrei Amat
Sant Andreu Arenal
Sant Andreu Comtal
Alfons X
Maragall
Fabra i Puig
Santa Coloma
Fontana
Guinardó
Congrés
L1 Fondo
Joanic
Hospital de Sant Pau
Camp de l'Arpa
Sagrera
Badalona
agonal
Verdaguer
Sagrada Família
Navas
Verneda
Joan XXIII
Encants
Clot
La Pau
irona
L2
La Pau
Monumental
El Clot-Aragó
Bac de Roda
St. Martí
Sant Roc
Gorg
Passeig de Gràcia
Tetuan
Besòs
Arc de Triomf
Glòries
Sant Adrià de Besòs
L4
Pep Ventura
Urquinaona
Marina
Arc de Triomf
Bogatell
Llacuna
Poblenou
Selva de Mar
Jaume I
Besòs Mar
Mataró
Blanes
Maçanet
Ciutadella Vila Olímpica
Sant Adrià del Besòs
arceloneta
de la
de Catalunya
3 atención al cliente

INDEX

ITINÉRAIRES:

EDITORIAL ESCUDO DE ORO, S.A.
I.S.B.N. 84-378-2284-X
Imprimé par FISA - Escudo de Oro, S.A.
Dépôt Légal B. 10332-2001